고려 전기 서북계 연구 ❶

요 동경 위치 연구

고려 전기 서북계 연구 ❶

요 동경 위치 연구

발　행 | 2024년 03월 07일
저　자 | 최길현
펴낸이 | 한건희
펴낸곳 | 주식회사 부크크
출판사등록 | 2014.07.15.(제2014-16호)
주　소 | 서울특별시 금천구 가산디지털1로 119 SK트윈타워 A동 305호
전　화 | 1670-8316
이메일 | info@bookk.co.kr

ISBN | 979-11-410-7539-2

www.bookk.co.kr

요동경 위치 연구

최길현 지음

目次

책을 내면서

이 연구서는 지난 2020년 12월에 완료한 대단위 연구인 『고려 전기 서북계 연구』의 1집이다. 고려 전기 서북계 연구는 고려·요 병립기 고려 서북계를 심층 고찰한 것으로서 가용할 수 있는 모든 사료를 분석하여서 요 동경도, 고려·요 外 제집단, 고려 서북계 등의, 유기체로서의 실상을 정밀 탐구하여서 수백 편의 논고로서 처음 성립하였다.

연구결과를 단위 및 성격별 주제에 맞춰서 분류하고, 재검증, 축약하는 과정을 수년 거쳤다. 1집에는 요 동경의 이치(移置) 여부를, 2집에는 요 동경도의 성장을, 3집에는 요 동경도 내외 제집단(발해·여진·철리 등)의 성격과 변화상을, 4집에는 고려 전기 서북계 변천을 다룬 논고를 편성하였다.

첫 책이 나오기까지 10여 년이 흘렀다. 고려 전기 서북계에 대한 이와 같은 연구는 종합성, 입체성, 규모 등의 면에서 사학계 제도권 안팎을 불문하고 처음 있는 일이다. 한 평범한 개인으로서 전심전력을 다하였으나 명석한 여러 탐구자들에 의해서 신랄한 비판이 이루어지길 오히려 바라며, 그 대안으로서의 연구가 이곳저곳에서 들불 번지듯 일어나길 기대한다.

2024년 3월 5일

최 길 현

여는 글 : 요 동경의 위치는 불변하였나?

한·중 사학계는 요나라 동경(東京)이 요동(遼東)의 요양고성(遼陽故城)을 근거하여 동평군(東平郡)으로서 최초 설립된 이래 현 중공 요녕성 요양시 백탑구에 치소(治所)를 두고서 그 자리에서 부동(不動)하였다고 인식하고 있다. 이른바 통설이다. 『바이두백과(百度百科)』는 '东平郡(동평군)' 항목[1]에서 동경의 연혁을 다음과 같이 서술하고 있다.

- **요 신책 3년(918), 요 태조 야율아보기가 (발해의) 요성주를 공격하여 점유.**
- **이듬해(919), 동평군으로 고치고 방어사 설치.**
- **요 천현 3년(928), 요 태종 야율덕광이 동평군을 남경으로 이름함.**
- **요 회동 원년(938), 남경을 동경으로 고치고 동경도 설치. 동평군을 폐지하여 없앰.**
- **동평군 치소는 현 요양시 백탑구에 있었음.**

즉 현 요양시 백탑구(白塔區) 일원이 본래 당 안동도호부와 발해의 요성주(遼城州)[2] 지역이었는데 918년에 거란이 공격하여 빼앗아서 919년에 동평군(東平郡)으로 고쳐서 방어사를 설치했으며, 928년에 남경(南京)으로 그 호칭을 승격시켰고, 938년에 남경에서 동경(東京)으로 개칭하였다는 것이다. 『바이두백과』의 이러한 설명

---

1) 『百度百科』 '东平郡' : 辽神册三年(公元918年), 辽太祖耶律阿保机攻占辽城州。翌年(919), 改为东平郡, 置防御使。辽天显三年(公元928年), 辽太宗耶律德光号东平郡为南京。辽会同元年(公元938年), 改南京为东京, 设东京道, 东平郡废除。郡治在今辽阳市白塔区。

2) 《新唐書》 志第三十三下 地理七下 河北道와 《舊唐書》 卷三十九 志第十九 地理二 安東都護府 條에는 당이 고구려를 멸망시킨 후에 그 땅에 설치한 여러 도독부 가운데에 '遼城州都督府'가 언급돼 있다.

에 따르면 본래 발해의 영토였던 현 요녕성 요양시 일대가 이르면 909년[3], 늦어도 918년 이후로는 줄곧 거란의 영역이었던 셈이다.

사학계 통설의 이러한 인식은, 당연한 말이겠지만, 전혀 무근거한 것이 아니라 나름대로, 비교적 치밀하게 문헌과 유적·유물 등 여러 사료를 근거한 것이다.

우선 《요사》 지리지 동경도 동경요양부 조는 동경의 연혁에 대해서 다음과 같이 적고 있다.

> **신책 4년(919), 요양고성을 수리하고 발해와 중국(漢)인들로써 (민호를 채워서) 동평군을 건립하고 방어주로 삼았다. 천현 3년(928), 동단국민을 옮겨서 이곳에 살게 하고 승격시켜 남경으로 삼았다.[4]**

이어서 남경이 동경으로 개칭된 사실과 요양부가 설립된 사실을 다음과 같이 적고 있다.

> **천현 13년(938), 남경을 고쳐 동경으로 삼고 부는 요양이라 이름하였다.[5]**

919년에 요양고성을 수리해서 동평군을 설치했는데 928년에 동단국민이 이곳에 옮겨와 살게 되자 동평군을 승격시켜 남경으로 삼았고, 938년에는 남경을 동경으로 개칭하고 부를 설치하여 그

3) 《요사》 태조본기에 따르면, 요 태조 야율아보기는 909년에 (처음) 요동에 행차하였음.

4) 《遼史》 卷三十八 志第八 地理志二 東京道 : 神冊四年, 葺遼陽故城, 以渤海、漢戶建東平郡, 為防禦州。天顯三年, 遷東丹國民居之, 升為南京。

5) 《遼史》 卷三十八 志第八 地理志二 東京道 : 天顯十三年, 改南京為東京, 府曰遼陽。

이름을 요양이라 하였다고 적었다. 이러한 서술은 분명하고 간결하여서 그 사이에 동경이 이치(移置)되었다든가 본래 위치가 그곳이 아니었다 등식의, 일말의 가능성을 열어줄 단 하나의 표현조차 전혀 없다.

이는 《금사》 역시 마찬가지여서 그 지리지 요양부 조의 기술은 다음과 같다.

> **요양부, 중급으로 동경유수사가 있다. 본래 발해의 요양고성으로, 요 야율완[6]이 수리하여 군명을 동평이라 하였다. 천현 3년(928), 남경으로 승격시키고, 부를 요양이라 이름하였다. 13년(938), 동경(東京)으로 변경했다.[7]**

다음은 《원사》 지리지 요양로 조 기술이다.

> **요양로, 상급이다. 당나라 이전에는 고구려와 발해 대씨의 소유였다. 후량 정명 연간[8]에 아보기가 요양고성으로써 동평군을 만들었다. 후당 때[9]에 남경으로 승격시켰고, 석진 때[10]에 동경으로 고쳤다.[11]**

---

6) 요완(遼完)은 요 세종 야율완(耶律阮, 재위 947~951)을 연상시키는데 요양고성을 수리하여 동평군을 건립한 이는 요 태조 야율아보기(耶律阿保機)이다. 따라서 요완(遼完)은 어떤 글자의 오기(誤記)이거나 야율아보기를 뜻하는 것으로 판단된다.
7) 《金史》 志第五 地理上 東京路 : 遼陽府, 中。東京留守司。本渤海遼陽故城, 遼完葺之, 郡名東平。天顯三年, 升為南京, 府曰遼陽。十三年, 更為東京。
8) 후량(後梁) 말제(末帝) 주우정(朱友貞)의 연호, 915년~921년
9) 후당(後唐) : 923년~936년
10) 석진(石晉) : 936년~946년
11) 《元史》 卷五十九 遼陽等處行中書省 : 遼陽路, 上。唐以前為高句驪及渤海大氏所有。梁貞明中, 阿保機以遼陽故城為東平郡。後唐升為南京。石晉改為東京。

다음은 《명일통지》 권25의 요동지역 연혁 서술이다.

> 오대 시기에 땅이 거란에 들어갔다. 아보기가 요동고성을 수리해서 동평군이라 이름하고 살게 하였다. 이윽고 남경으로 승격되었고, 다시 동경으로 개칭되었다.[12]

《명일통지》는 권25의 정요중위 조 기술에서도 그 연혁을 다음과 같이 일관하여 적고 있다.

> 정요중위. 부곽하여 다스렸다. 본래 전한 양평현·요양현과 요동군의 치소가 있었는데 진(晉)이 없앴고, 요(遼)가 다시 요양현을 설치하여 동평군으로 삼아 부곽하여 다스렸다. 홍무 10년(1377)에 현을 없애고, 17년(1384)에 위를 설치했다.[13]

다음은 《독사방여기요》 산동8의 정요중위 조 기술이다.

> 정요중위. 부곽하여 다스렸다. 요동도사 치소의 동남쪽에 있다. 전한 양평·요양 두 현의 땅으로 요동군에 속했다. 후한에서는 양평현 땅이었다. 진나라 때에 없앴다. 훗날 고구려가 차지했는데 당나라가 고구려를 평정한 후에 다시 양평현이라 이름하였다. 훗날 발해가 차지하였다. 거란이 요양현을 설치하고 동평군 치소로 삼았는데 이윽고 요양부의 치소가 되었다. (후략)[14]

이들 문헌은 일관하여 "요양고성(遼陽故城) → 요 동평군(東平

---

12) 《明一統志》 卷二十五 : 五代時地入契丹阿保機修遼東故城以居名曰東平郡尋陞南京又改為東京

13) 《明一統志》 卷二十五 : 定遼中衛附郭本漢襄平遼陽二縣及遼東郡治所晉廢遼復置遼陽縣為東平郡附郭本朝洪武十年罷縣十七年置衛

14) 《讀史方輿紀要》 卷三十七 山東八 : 定遼中衛附郭。在司治東南。漢襄平、遼陽二縣地。屬遼東郡。後漢仍為襄平縣地。晉因之。後為高麗所據。唐平高麗，復曰襄平縣，後沒於勃海。契丹置遼陽縣，為東平郡治，尋為遼陽府治。金仍舊。元為遼陽路治。明洪武四年，改為衛治。八年，改置都司治焉。十年，廢縣。十七年，置衛。

郡) → 요 남경(南京) → 요 동경(東京) → 금 동경 → 원 요양로(遼陽路) → 명 요동도사성(遼東都司城)"에 이르는 연혁을 서술하고 있어서 동경의 이치(移置) 여부를 판단할 일말의 단서조차 전혀 허용하지 않으며, 그 지리 인식의 일치를 보이고 있다.

요 동평군이 남경으로 승격된 까닭은 동평군으로 동단국(東丹國) 천복성(天副城)이 이치(移置)되고, 그 백성이 그 주변으로 사민(徙民)돼 온 데에 있다. 그런데 이 사실에서도 훗날 동경(東京)이 되는 동평군의 위치가 현 요양시 백탑구 일대로 드러난다.

《요사》 야율우지(耶律羽之)전[15]은 동단왕 야율배가 요 태종에게 야율우지를 보내서 동단국민 사민을 건의한 사실을 전하면서, 동단국민이 옮겨갈 그 위치에 대해서 '발해인의 고향(其故鄉)'인 '양수가 있는 지역(梁水之地)'이라고 적고 있으며, 동단국민 사민이 완료된 사실을 전한 《요사》 태종본기 천현 3년 12월 갑인일 기사[16]는 동단국민이 옮겨간 곳을 '東平', 즉 동평군(東平郡)이라고 구체적으로 적고 있는데, 이를 종합하면 발해인의 고향인 양수

---

15) 《遼史》 卷六十七 列傳第五 耶律羽之 : 太宗即位, 上表曰 :「我大聖天皇始有東土, 擇賢輔以撫斯民, 不以臣愚而任之。國家利害, 敢不以聞。渤海昔畏南朝, 阻險自衛, 居忽汗城。今去上京遼邈, 既不為用, 又不罷戍, 果何為哉? 先帝因彼離心, 乘釁而動, 故不戰而克。天授人興, 彼一時也。遺種浸以蕃息, 今居遠境, 恐為後患。梁水之地乃其故鄉, 地衍土沃, 有木鐵鹽魚之利。乘其微弱, 徙還其民, 萬世長策也。彼得故鄉, 又獲木鐵鹽魚之饒, 必安居樂業。然後選徒以翼吾左, 突厥、黨項、室韋夾輔吾右, 可以坐制南邦, 混一天下, 成聖祖未集之功, 貼後世無疆之福。」表奏, 帝嘉納之。是歲, 詔徙東丹國民於梁水, 時稱其善。

16) 《遼史》 卷三 本紀第三 太宗上 : 十二月 (생략) 甲寅, 次杏堝, 唐使至, 遂班師。時人皇王在皇都, 詔遣耶律羽之遷東丹民以實東平。其民或亡入新羅、女直, 因詔困乏不能遷者, 許上國富民給贍而隷屬之。升東平郡為南京。

지지(梁水之地)는 곧 동평군 지역이다. 양수(梁水)는 《요사》 지리지 동경도 동경요양부 조에 대량수(大梁水), 동량하(東梁河), 태자하(太子河) 등 3 가지 명칭으로 불린 사실이 기술[17]돼 있는바 지금의 요녕성 태자하(太子河)이다. 사학계 통설에 의해 요 동경이 비정된 요양시 백탑구는 현 태자하의 남안(南岸)에 바로 연접(連接)해 있다. 즉 이들 기록을 근거하여 볼 때에도 요 동경이 현 요양시 백탑구가 아닌 다른 곳에 있었다고 보기 어렵다.

한편 《요사》 지리지 동경도 동경요양부 조는 또한 다음과 같은 사실을 기술[18]하고 있다.

> 성(城)은 이름하여 천복(天福)이라 하는데 높이가 3 장으로 망루(樓櫓, 누로)가 있으며 너비와 둘레(幅員)가 30 리이다. 8개의 문이 있으니 동쪽은 영양(迎陽), 동남쪽은 소양(韶陽), 남쪽은 용원(龍原), 서남쪽은 현덕(顯德), 서쪽은 대순(大順), 서북은 대요(大遼), 북쪽은 회원(懷遠), 동북은 안원(安遠)이다. 궁성(宮城)은 동북쪽 모퉁이(隅)에 있으니 높이가 3 장으로 적루(敵樓)를 갖추고 있고 남쪽으로 3개의 문이 있는데 누각(적루)으로 인하여 그 모습이 장관이다. (궁성에는) 사방 모퉁이에 각루(角樓)가 있고, 그 사이 각 2 리이다. 궁성 담장 북쪽에는 양국황제(讓國皇帝)의 어용전(御容殿)이 있다. 대내(大內)에는 전각을 두 채 만들고 궁빈(내명부)은 설치하지 않았다. 오직 내성사(內省使)의 부관과 판관이 지켰다. 「대동단국신건남경비명(大東丹國新建南京碑銘)」이 궁문의 남쪽에 있다.

---

17) 《遼史》 卷三十八 志第八 地理志二 東京道 : 東梁河自東山西流, 與渾河合為小口, 會遼河入於海, 又名太子河, 亦曰大梁水 ; 渾河在東梁、範河之間

18) 《遼史》 卷三十八 志第八 地理志二 東京道 : 城名天福, 高三丈, 有樓櫓, 幅員三十里。八門 : 東曰迎陽, 東南曰韶陽, 南曰龍原, 西南曰顯德, 西曰大順, 西北曰大遼, 北曰懷遠, 東北曰安遠。宮城在東北隅, 高三丈, 具敵樓, 南為三門, 壯以樓觀, 四隅有角樓, 相去各二里。宮墻北有讓國皇帝御容殿。大內建二殿, 不置宮嬪, 唯以內省使副、判官守之。《大東丹國新建南京碑銘》, 在宮門之南。

이 기록에 호응하는 유적이 1993년 8월, 요양시 백탑구에 있는 관제묘(關帝廟)[19]를 중수(重修)할 적에 관제묘 건물 아래에서 발견되었다. 동북아역사재단의 동북아역사넷 고구려문화유산자료 고구려 요동성지(高句麗 遼東城址) 페이지[20]의 관련 설명을 그대로 발췌하면 다음과 같다.

> **1993년 8월 관제묘(關帝廟)를 중수할 때, 관제묘 우측 건물 기초 아래에서 석각이 출토됨. 이곳은 요양구성에서 가장 높은 지점임. 석각은 위에는 "요궁전(遼宮殿)", 그 아래에는 "성고삼장(城高三丈), 남위삼문(南爲三門), 장이누관(壯以樓觀), 사우유각루(四隅有角樓), 상거각이리(相去各二里), 궁장북유양국황제어용전(宮墻北有襄國皇帝御容殿)"이라고 새겨져 있었음. 일부학자는 석각에 보이는 "양국황제(襄國皇帝)"는 고구려 제18대 왕인 고국양왕 이련(伊連), 어지지(於只支)로, '襄'자는 '壤'자의 오기로 보는 견해를 보이기도 함. 그러나 '让國皇帝'는 요태조(遼太祖) 아보기(阿保機)의 장자인 야율배(耶律倍)의 시호임. 그러므로 이 석각은 요(遼)대에 세워진 것으로, 고구려의 유물이 아님.**
>
> **(王禹浪·王宏北, 2007)**

동북아역사넷 해당 페이지의 이 설명은 왕우랑(王禹浪)의 해당 저술 2007년 판[21]을 인용하고 있는데, 그 초판본인 1994년 판에도 관련된, 같은 서술[22]이 있다. 《요사》 지리지 동경도 동경요양

---

19) 관우(關羽)의 위패를 모신 사당. 관왕묘(關王廟)라고도 한다.

20) http://contents.nahf.or.kr/item/level.do?levelId=ku.d_0001_0120_0020_0010

21) 王禹浪·王宏北, 『高句麗·渤海古城址研究匯編』 (上), 哈爾濱出版社, (2007)

22) 王禹浪·王宏北, 『高句麗·渤海古城址研究匯編』 (上), 哈爾濱出版社, (1994) p.129 : (상략) 帝庙前见有竖起的花岗岩石的坐标碑,上刻"辽宫殿"三字,其下又刻有 33 个字: "城高三丈,南为三门,壮以楼观。四隅有角楼,相去各二里,宫墙北有襄国皇帝御容殿。"据关帝庙住持介绍,此刻石于 1993 年 8 月重修关帝庙宇时,出土于关帝庙右 属何代之物,遂将此石视之为神石,故将其立于关帝庙门前,以石召示世人揭之。有人认为,石刻中的"襄国皇帝"可能是指高句丽第 18 代王故国壤王伊连·于只

부 조의 기술이 그대로 새겨져 있는 사실에서 해당 유적이 과연 요나라 당시의 것이 맞는지 의심스럽지만[23] 지리지의 기술에 호응하는 유적이 발견된 사실 자체가 요양시 백탑구를 요 동경 소재지로 보는 사학계 통설에 힘을 실어주고 있다고 할 수 있다.

이상의 사실로 볼 때에 "요양고성(遼陽故城) → 동평군(東平郡) → 남경(南京) → 동경(東京) = 현 요양시 백탑구(白塔區)"라 한 사학계 통설의 인식에는 재고(再考)와 이견이 비집고 들어앉을 틈이 전혀 없어 보인다. 즉 요 동경이 본래 다른 곳에 있었다고 추정하거나 주장하는 일은 무모하고 어리석어 보이는 것이다.

그런데 '사실 선택과 판단'의 시각을 보다 넓혀서 다각도에서 접근하면 같은 사료 내에서도 동경의 연혁에 있어서 심각한 모순이 존재함을 알 수 있다. 우선 《요사》 태조본기가 기술한 동평군 설립 전말이 지리지 동경도 동경요양부 조의 연혁 기술과 맞선다.

시기(음력)	내용
908년 10월	진동해구에 장성을 축조하였다.[24]
909년 1월	요동에 갔다.[25]
915년 9월	압록강에서 낚시를 했다.[26]
918년 12월	요양의 오래된 성에 갔다.[27]
919년 2월	요양의 오래된 성을 수리하여 중국인과 발해인으로 채우고 동평군으로 고쳤다. 방어사를 설치했다.[28]

支。"襄"字乃"壤"字之误。案查《辽史》卷 72 得知, "让国皇帝"是辽太祖阿保机长子耶律倍死后 (하략)

23) 御容殿, 또는 讓國皇帝御容殿이라고만 새겨져 있었다면 믿을만하다 하겠지만 우선 遼宮殿이라고 새겨져 있는 것 자체가 요나라 당시에 새겨진 것이라고 보기 어렵게 하고, 그 아래에 새겨져 있는 城高三丈南爲三門壯以樓觀 四隅有角樓相去各二里 宮墻北有襄國皇帝御容殿은 《요사》 지리지의 관련 기술을 그대로 옮긴 것이므로 후대에 지리지의 해당 기술을 그대로 새겨서 기념한 석각(石刻)으로 추정된다.

진동해구(鎭東海口)는 현 요하(遼河)를 중심한 그 일대에서 현재 광대한 연안(沿岸) 습지로 변모한 옛 반금만(盤錦灣) 지역[29]으로 고려되는데, 상기 《요사》 태조본기의 기록에 현 사학계 통설의 역사지리 인식을 대입하면, 거란은 909년에 현 요양시를 중심한 요하의 좌안(左岸)에 진출하였고, 915년에는 현 서북한 압록강의 서안(西岸)까지 차지하여서 이때에 이미 요하 동쪽의 주요 지역이 거란의 수중에 떨어진 셈이 된다.

그런데 발해가 거란의 침공으로 인하여 홀한성이 함락되고 대인선이 항복한 때는 그보다 십여 년 후인 926년 1월이며, 대인선이 항복하였음에도 그 해 내내 발해 각지에서 여러 부(府)의 저항이 연이어 일어났다. 즉 대인선의 항복을 받고 나서도 한 해 동안 발해 각지를 온전히 장악하지 못 하였는데 거란 측 스스로가 '발해의 고향(其故鄕)'이라고 일컫는, 발해의 중요 지역인 요좌(遼左) 지역을 그보다 십여 년 전에 빼앗았다고 보기 어렵다.

더욱이 발해는 거란이 요하 서안(西岸)에 설립한 요주(遼州)를 멸망 2년 전인 924년에 공격하였다. 이때는 동평군 설치 5년 후에

---

24) 《遼史》 卷一 本紀第一 太祖上 : (二年)冬十月己亥朔, 建明王樓。築長城於鎭東海口。

25) 《遼史》 卷一 本紀第一 太祖上 : 三年春正月, 幸遼東。

26) 《遼史》 卷一 本紀第一 太祖上 : 九年冬十月戊申, 鉤魚于鴨淥江。

27) 《遼史》 卷一 本紀第一 太祖上 : (神冊三年)冬十二月庚子朔, 幸遼陽故城。

28) 《遼史》 卷二 本紀第二 太祖下 : (神冊四年) 二月丙寅, 修遼陽故城, 以漢民、渤海戶實之, 改為東平郡, 置防禦使。

29) 1958년 육간방(六間房) 부근에서 영구(營口, 잉커우) 방면으로 흐르는 요하의 본류(本流)를 막고 요하의 한 지류로서 반산(盤山, 판산) 방면으로 흐르는 쌍대자하(雙臺子河)를 본류로 삼으면서 반금만 지역에 토사(土砂)의 퇴적이 촉진됨에 따라 광대한 연안 습지가 조성되었다.

해당한다.

이 달에 계주(薊州)의 주민을 이주시켜 요주(遼州) 땅을 채웠는데 발해가 그 자사 장수실을 죽이고 그 주민을 약탈해갔다.[30]

자사를 죽이고 그 주민까지 약탈해 간 상황이면 발해가 그때까지 요하 동쪽을 차지하고 있었다고 봐야 할 것이다. 즉 이러한 사실은 《요사》 지리지가 기술한 동경의 연혁에 부딪혀서 통설의 모순을 강하게 드러내고 있는 것이다.

요 동경의 위치는 그 위치 자체의 시비로 끝나는 것이 아니라 발해·여진 등 제집단의 형세와 위상, 이들에 대한 거란의 지배 및 교섭 상황과 연쇄되며, 최종적으로 이들 집단을 사이에 둔 고려 서북계의 실상에 결부된다.

본 연구자는 고려 전기 서북계, 요 동경도의 실상, 발해 멸망의 전말 등 상호성을 띤 여러 주제로써 수년 동안 대단위 연구를 진행하는 과정에서 요 동경이 본래 요하 서쪽의 모처(某處)에 자리하고 있다가 대체로 개태 연간(1012~1021)에 현 요양시 백탑구 일대로 옮겨진 정황(情況)을 포착하였다. 이를 다각도에서 집중 탐구하였고, 그 가운데에서 7편의 논고를 선정하여 이 책에 수록하였다.

이 연구서가 요 동경 위치 인식의 혁신적 전환을 강하게 충동(衝動)함으로써 학계 및 대중으로 하여금 고려 전기 서북계의 실상을 바로 보고자 하는 결정적 동인(動因)이 되길 바란다.

---

30) 《遼史》 卷二 本紀第二 太祖下 : 是月, 徙薊州民實遼州地。渤海殺其刺史張秀實而掠其民。

거란의 요동과 발해의 요동

도입

《요사(遼史)》 태조 본기에 따르면, 야율아보기는 908년 12월(음력, 이하 생략)에 현 요하(遼河) 하류 쌍대자하(雙臺子河)의 입해처(入海處)인 옛 반금만(盤錦灣) 지역으로 고려되는 진동해구(鎮東海口)에 장성(長城)[1]을 축조[2]하였고, 그 한 달 후인 909년 1월에 요동(遼東)에 행차[3]하였다. 915년 9월에 압록강(鴨渌江)에서 낚시[4]를 하였고, 918년 12월에 요양고성(遼陽故城)에 행차[5]하였다. 이어서 919 2월에 요양고성을 수리해서 발해인과 중국인(漢戶)으로써 민호(民戶)를 채워서 동평군(東平郡)을 건립하고서 이곳에 방어사(防禦使)를 설치[6]하였다.

《요사》 지리지 동경도 동경요양부 조는 그 연혁을 서술하면서 919년(신책 4년)에 요양고성을 수리해서 동평군을 건립했고, 928년(천현 3년)에 동단국민(東丹國民)이 천거(遷居)돼 오면서 동평군이 남경(南京)으로 승격[7]되었으며, 다시 938년(천현 13년)에 남

---

1) 장성(長城)은 "길게 둘러쌓은 성"을 뜻할 뿐만 아니라 "규모가 큰 성"을 뜻하기도 한다.
2) 《遼史》 卷一 本紀第一 太祖上 : (二年)冬十月己亥朔, 建明王樓。築長城於鎮東海口。
3) 《遼史》 卷一 本紀第一 太祖上 : 三年春正月, 幸遼東。
4) 《遼史》 卷一 本紀第一 太祖上 : 九年冬十月戊申, 鉤魚于鴨渌江。
5) 《遼史》 卷一 本紀第一 太祖上 : (神冊三年)冬十二月庚子朔, 幸遼陽故城。
6) 《遼史》 卷二 本紀第二 太祖下 : (神冊四年) 二月丙寅, 修遼陽故城, 以漢民、渤海戶實之, 改為東平郡, 置防禦使。
7) 《遼史》 卷三十八 志第八 地理志二 東京道 : 神冊四年, 葺遼陽故

경이 동경(東京)으로 개칭되었다고 설명[8]하였다.

따라서 이들 기록을 그대로 받아들여서 종합하면 거란은 발해가 멸망한 926년보다 훨씬 전인 909년에 이미 현 요하(遼河) 동쪽의 요·심(遼瀋) 일대에, 915년에는 현 서북한 압록강까지 진출한 셈이 된다. 기성 사학계는 909년의 요동 행차와 915년의 압록강 낚시 기사에 대해서 이렇다 할 설명을 내놓고 있지 않다. 다만 918년의 요양고성 행차에 대해서는, 이때에 이르러서 거란이 드디어 요하 동쪽을 발해로부터 빼앗아서 차지하였다고 설명[9]하고 있다.

그러나 《요사》를 중심하여, 오대(五代)·요 시기를 다룬 사료에 나타난 발해 멸망 전사(前史)·거란의 요동 진출사를 면밀히 검토하여 보면 거란은 924년까지도 '현 요하의 동쪽'을 차지하지 못한 상태였으며, 이후 발해가 멸망한 926년까지 그 마지막 2년여 기간조차도 요하 동쪽을 차지한 순차와 경위가 분명하지 않다.

사료를 입체적으로 면밀하게 숙고(熟考)하여 검토하지 않고, 먼저 요동(遼東)을 요하의 좌안(左岸)에, 요양(遼陽)을 현 요양시 백탑구 일원에 고정하여 놓고서 뒤에 가서 사료를 대입하는, 사학계의 앞뒤가 뒤바뀐 안일하고 무책임한 그동안의 행태가 성립 불가

城, 以渤海、漢戶建東平郡, 為防禦州。天顯三年, 遷東丹國民居之, 升為南京。

8) 《遼史》 卷三十八 志第八 地理志二 東京道 : 天顯十三年, 改南京為東京, 府曰遼陽。

9) 『百度百科』 '东平郡' : 遼神冊三年(公元918年), 遼太祖耶律阿保機攻占遼城州。翌年(919) 改為東平郡, 置防禦使。遼天顯三年(公元928年), 遼太宗耶律德光號東平郡為南京。遼會同元年(公元938年), 改南京為東京, 設東京道, 東平郡廢除。郡治在今遼陽市白塔區。

능한, 심각한 모순을 안고 있는 비사실(非寫實)을 통설로서 유통시켜 온 것이다.

이 연구에서 본 연구자는 '거란의 遼東과 발해의 遼東'을 주제어로 삼아서 거란이 924년까지 요하의 동쪽에 진출하지 못 하였음을 논증함으로써 야율아보기의 행적에서 909년의 '요동'이 요하 동쪽이 아님과 918년의 '요양고성'이 현 요양시 백탑구 지역에 소재한 것이 아님을 밝히고, 이로써 919년에 요양고성을 수리하여 설치한 '동평군'이 현 요양시 백탑구에 치소를 두고서 요하의 좌안(左岸)을 관할한 것이 아님을 밝혀서 최종적으로, 초기 동경이 현 요양시 백탑구가 아니라 요하 우안(右岸)의 모처(某處)에 위치하였다는 사실에 접근하였다.

거란의 주요 동향

거란의 요하 동쪽 진출에 관련하여 925년 이전의 기사에 한하여서, 《요사》를 중심하되 오대(五代) 및 거란사(契丹史)를 다룬 여러 사서의 '발해와 거란' 관련 기록을 취합하여 시간 순서로 배열하면 다음의 표와 같다.

시기(음력)		내용	출전
903년	봄	여진을 정벌하여 항복시키고 3백 호를 노획하였다.[10]	《요사》
906년	11월	군사를 나누어 보내서 해와 습의 제부락(諸部)과 동북여진의 아직 복속하지 않은 부족을 토벌하여 모두 남김없이 격파하여 항복시켰다.[11]	《요사》
908년	12월	명왕루를 건립하고, 진동해구에 장성을 쌓았다.[12]	《요사》
909년	1월	요동(遼東)에 갔다.[13]	《요사》
915년	10월	압록강에서 낚시를 했다.[14]	《요사》
918년	12월	요양의 옛 성(遼陽故城)에 갔다.[15]	《요사》
919년	2월	요양(遼陽)의 옛 성을 수리하여 중국인(漢民)과 발해인으로 민호를 채워서 동평군(東平郡)으로 삼고 방어사를 설치했다.[16]	《요사》
919년	5월	동평군(東平郡)에서 돌아왔다.[17]	《요사》
921년	12월	단주와 순주의 백성을 동평군과 심주로 이주시키라고 지시했다.[18]	《요사》
923년[19]	-	거란이 날로 강성해졌는데 사신을 파견하여 당나라(후당)가 유주로 취한 곳을 탐내어 노문진의 거처로 삼도록 하였다. 이때에 동	《거란국지》

		북의 여러 오랑캐들이 모두 (거란에) 신속하였으나 오직 발해만이 복종하지 않았다. 태조(야율아보기)가 남정(南征)을 꾀하면서 발해가 후방을 공격할 것이 두려워서 먼저 '발해의 요동(渤海之遼東)'을 공격하고 , 장수 독뢰와 노문진을 평주와 영주 등지로 보내어 연(燕) 지역을 소란스럽게 하였다. (거란의) 군사가 발해를 공격하였으나 아무런 성과 없이 퇴각하였다.[20]	
	5월	이 달에 계주(薊州)의 주민을 이주시켜 요주(遼州) 땅을 채웠는데 발해가 그 자사 장수실을 죽이고 그 주민을 약탈해갔다.[21]	《요사》
924년	7월	거란이 자못 강성하여서 사신을 보내와서 (후당의) 황제가 취한 유주에 노문진을 머물게 하며 탐내었다. 이 때에 동북의 여러 오랑캐들이 모두 거란에 신속하였는데 오직 발해만이 복종하지 않았다. 거란의 군주(야율아보기)가 (유주 등 하북지역으로의) 침입을 꾀하면서 발해가 그 뒤를 공격할 것을 두려워하여 먼저 '발해의 요동(渤海之遼東)'을 공격하였고 그 장수 독뢰와 노문진을 영주와 평주 등지에 보내어 연 지역을 소란케 하였다.[22]	《자치통감》
	8월	거란이 발해를 공격했으나 아무런 성과없이 퇴각하였다.[23]	《사치통감》

	7월~9월	3월(음) 안파견(야율아보기)이 부족을 거느리고 (후당의) 신성을 침략하였다. 그 해 7월에 또 군사를 거느리고 동쪽으로 발해국을 공격하였고 9월까지 (거란의) 인근 부족인 실위·여진·회골이 있는 곳을 침략하였다.[24]	《오대회요》
925년[25]		동광 연간[26]에 아보기는 영토를 개척하겠다는 뜻이 절실하여 병사를 거두어 대대적으로 공격하려 했으나 발해가 그 뒤를 쫓아올까 근심하였다. 동광 3년(925)에 군사를 일으켜 발해의 요동(遼東)을 토벌하고, 독뢰와 노문진에게 명하여 영주(營州)[27]와 평주(平州)[28] 등지에 주둔하게 하여 우리의 연·계(燕薊)[29] 지역을 어지럽혔다.[30]	《구오대사》
	12월	발해 정벌 출정.[31]	《요사》

10) 《遼史》 卷一 本紀第一 太祖上 : 明年春, 伐女直, 下之。獲其戶三百。

11) 《遼史》 卷一 本紀第一 太祖上 : 十一月, 遣偏師討奚、霫諸部及東北女直之未附者, 悉破降之。

12) 《遼史》 卷一 本紀第一 太祖上 : 冬十月己亥朔, 建明王樓。築長城於鎮東海口。

13) 《遼史》 卷一 本紀第一 太祖上 : 三年春正春月, 幸遼東。

14) 《遼史》 卷一 本紀第一 太祖上 : 冬十月戊申, 鉤魚于鴨渌江。

15) 《遼史》 卷一 本紀第一 太祖上 : 冬十二月庚子朔, 幸遼陽故城。

16) 《遼史》 卷二 本紀第二 太祖下 : 二月丙寅, 修遼陽故城, 以漢民、渤海戶實之, 改為東平郡, 置防禦使。

17) 《遼史》 卷二 本紀第二 太祖下 : 夏五月庚辰, 至自東平郡。

18) 《遼史》 卷二 本紀第二 太祖下 : 己卯, 還次檀州, 幽人來襲, 擊走之, 擒其裨將。詔徙檀、順民於東平、瀋州。

19) 《거란국지》는 이 기술을 923년의 말미에 기입해 놓았는데 《자치통감》과 《오대회요》는 924년의 일로 기술하였다. 그런데 《요사》 태조

야율아보기는 908년 12월에 진동해구(鎮東海口)에 장성(長城)을 축조하였고, 그 한 달 후인 909년 1월에 요동(遼東)에 행차하

본기의 기록에서 거란이 연과 계 지역을 공략한 해는 924년이다. 따라서 《거란국지》의 해당 기술은 924년의 일로 교감(校勘)된다.

20) 《契丹國志》 卷之一 太祖大聖皇帝 : (癸未天贊三年。梁龍德三年, 唐莊宗李存勖同光元年。) 契丹日益強盛, 遣使就唐求幽州以處盧文進。時東北諸夷皆服屬, 惟渤海未服。太祖謀南征, 恐渤海掎其後, 乃先舉兵擊渤海之遼東, 遣其將禿餒及盧文進據平、營等州, 以擾燕地。師攻渤海, 無功而退。

21) 《遼史》 卷二 本紀第二 太祖下 : 是月, 徙薊州民實遼州地。渤海殺其刺史張秀實而掠其民。

22) 《資治通鑑》 卷二百七十三 : (同光二年 秋七月 庚申) 契丹恃其彊盛, 遣使就帝求幽州以處盧文進。時東北諸夷皆役屬契丹, 惟勃海未服 ; 契丹主謀入寇, 恐勃海掎其後, 乃先舉兵擊勃海之遼東, 遣其將禿餒及盧文進據營、平等州以擾燕地。

23) 《資治通鑑》 卷二百七十三 : (同光二年 八月 癸卯) 契丹攻渤海, 無功而還。

24) 《五代會要》 卷二十九 契丹 : 後唐同光二年三月, 阿保機率所部入寇新城。其年七月, 又率兵東攻渤海國, 至九月, 為隣部室韋、女真、迴鶻所侵。十二月, 又入寇嵐州。

25) 《구오대사》는 이 기술을 925년의 일로 적었는데 《자치통감》과 《오대회요》는 924년의 일로 기술하였다. 그런데 《요사》 태조 본기의 기록에서 거란이 연과 계 지역을 공략한 해는 924년이다. 따라서 《구오대사》의 해당 기술은 924년의 일로 교감(校勘)된다.

26) 후당(後唐) 장종(莊宗) 同光 923년~926년

27) 현 하북성 진황도시 창려현(昌黎縣)

28) 현 하북성 진황도시 노룡현(盧龍縣)

29) 현 하북성 북경시와 당산시(唐山市) 일대

30) 《舊五代史》 外國列傳一 契丹 : 同光中, 安巴堅深著辟地之志, 欲收兵大舉, 慮渤海踵其後。三年, 舉其眾討渤海之遼東, 令禿餒、盧文進據營、平等州, 擾我燕薊。

31) 《遼史》 卷二 本紀第二 太祖下 : 十二月乙亥, 詔曰 :「所謂兩事, 一事已畢, 惟渤海世急未雪, 豈宜安駐。」乃舉兵親征渤海大諲譔。皇后、皇太子、大元帥堯骨皆從。

였다. 기성 사학계에서는 '요동'을 현 요양시를 중심한 요하 동쪽 지역에 시대를 불문하고 고정[32]하여 보고 있는 까닭에 《요사》 태조 본기의 909년 요동 행차 기사는 당시에 거란이 현 요양시를 중심한 요하 동쪽 지역에 진출하였거나 이미 차지하고 있었다는 해석을 자연스럽게 이끌어낸다.

그런데 《요사》 태조본기 (태조) 5년 봄 정월 기사[33]에 "이제에 이르러 해(奚)와 습(霫)의 땅을 모두 차지하게 되니 동쪽 끝은 바다이고, 남쪽은 백단에 닿고, 서쪽으로는 송막을 넘어가고, 북쪽으로는 황수에 이르렀다."하는 대목이 있다. 백단(白檀)은 백단현(白檀縣)으로서, 현 하북성 승덕시(承德市) 난평현(灤平縣) 동북쪽, 흥주하(興州河)의 남안(南岸)에 비정[34]돼 있다. 송막(松漠)은 본래 평지송림(平地松林)을 가리키는 말로서, 현 내몽골 커스커텅기(克什克騰旗) 일대에 해당[35]한다. 황수(潢水)는 현 내몽골 시라무

32) 그러나 양한(兩漢)의 요동군은 현 요하의 좌우를 관할지로 삼았다. 즉 의무려산을 비롯한 대릉하와 요하 사이의 지역 역시 요동군에 속하였다. 또한 금(金)에서 관리를 지낸 계주 옥전현 출신의 한인(漢人) 왕적(王寂)이라는 인물이 금 장종 명창(明昌) 원년(1190) 2월 병신일(丙申)부터 4월 경인일(庚寅)까지, 요양(遼陽)을 출발하여 요동(遼東)의 각 지역(部)을 돌아보면서 남긴 일종의 업무 일기인 《요동행부지(遼東行部志)》에는 의무려산 남쪽 현 북진시에 소재한 광녕부(廣寧府) 뿐만 아니라 부신시(阜新市)에 있었던 동창현(同昌縣), 심지어 북표시(北票市)에 있었던 의민현(宜民縣)까지 등장하고 있어서 요하의 서쪽 지역까지 요동의 범주에 포함돼 있음이 확인된다.

33) 《遼史》 卷一 本紀第一 太祖上 : 五年春正月丙戌朔, 日有食之。丙申, 上親征西部奚。奚阻險, 叛服不常, 數招諭弗聽。是役所向輒下, 遂分兵討東部奚, 亦平之。於是盡有奚、霫之地。東際海, 南暨白檀, 西逾松漠, 北抵潢水, 凡五部, 咸入版籍。

34) 『바이두백과』 '白檀县(백단현)' : 白檀县是一个古代的县名, 西汉时设置, 东汉时废除。治所在今河北省滦平东北兴州河南岸。

35) 『바이두백과』 '平地松林(평지송림)' : 平地松林在今内蒙古克什克腾旗一带, 南至河北围场以北, 为奚族、契丹族活动的地方。现在对于平地松林的具体位置有多种解释。

룬허(xīlā mùlún hé)이다.[36] 그렇다면 동쪽 끝인 '해(海)'는 어디일까? 태조 5년은 911년[37]으로서 발해가 멸망하기 15년 전인데, 현 요하(遼河) 동쪽은 뭍(陸)이므로 '해(海)'가 바다를 뜻한다고 볼 수 없다. 그렇다면 '해(海)'는 발해를 뜻하거나, 오히려 요하를 가리키는 표현일 가능성이 크다.

《요사》 지리지 상경도(上京道)의 서두는 거란의 영역이 시대에 따라 변천한 사실을 서술하고 있는데 그 중에서 "오대(五代)에 이르러서 땅을 넓히니 동서(東西) 3천 리였다."한 대목[38]이 있다. 《무경총요》 북번지리(北蕃地理) 역시 거란 영역의 변천을 서술하면서 '동서 3천 리'를 언급한 대목이 있다. "그 땅의 남쪽은 바다(海)와 접하였고, 동쪽은 요하(遼河)에 닿았으며, 서쪽은 냉형(泠陘)을 감쌌으며, 북쪽 경계는 송형(松陘)으로 하여 산천(山川)의 동서(東西)가 3천 리(三千里)이다.[39]"한 것이 그것이다. 즉 《무경총요》 북번지리의 '동서 3천 리'는 《요사》 지리지 상경도의 기술과 교차하여 볼 때에 오대(五代) 시기의 영역임을 알 수 있다.

---

36) 『바이두백과』 '西拉木伦河(서랍목륜하)' : 西拉木伦河, 也写作"西拉沐沦河", 为西辽河北源, 蒙古语意为"黄色的河", 历史上曾称之为饶乐水、潢水、吐护真水、辽水、大潦水、巨流河等名称。

37) 911년은 또한 오대(五代)의 첫 국가인 후량(後梁, 907~923)의, 태조 주황(朱晃) 건화(乾化) 원년에 해당한다.

38) 《遼史》 卷三十七 志第七 地理志一 上京道 : 當元魏時, 有地數百里。至唐, 大賀氏蠶食扶餘、室韋、奚、靺鞨之區, 地方二千餘里。貞觀三年, 以其地置玄州。尋置松漠都督府, 建八部為州, 各置刺史 : 達稽部曰峭落, 紇便部曰彈汗州, 獨活部曰無逢州, 芬阿部曰羽陵州, 突便部曰日連州, 芮奚部曰徒河州, 墜斤部曰萬丹州, 伏部曰匹黎、赤山二州。以大賀氏窟哥為使持節丨州軍事。分州建官, 蓋昉於此。迨於五代, 闢地東西三千里。

39) 《武經總要》 前集 邊防一下 北蕃地理 : 其地南接海, 東際遼河, 西包泠陘, 北界松陘, 山川東西三千里。

비록 《요사》 태조 본기 911년 기사가 기술한 당시 영역의 사극(四極) 지명과 차이가 있지만 오대(五代) 시기의 영역이라는 것이 일치하므로 '동서 3천 리'를 기준으로 삼고서 보면 동쪽 끝과 서쪽 끝은 합치할 수밖에 없다. 즉 동서 폭의 차이는 없으나, 남과 북은 각각 '백단→바다(海)', '황수→송형'으로 넓어졌거나 동일한 지역 범주에 속한 다른 지명이 단지 관점의 차이에 따라 달리 선택돼 적혔을 뿐이라고 추정되는 것이다.

출전	동	서	남	북	동서(橫幅)	시기
《요사》 태조 본기	海	송막	백단	황수	기술 없음	911년 (五代 초)
《요사》 지리지		기술 없음			3천 리	五代
《무경총요》 북번지리	요하	냉형	海	송형	3천 리	五代

그렇다면 냉형(冷陘)은 어디일까? 《무경총요》는 "서쪽은 냉형을 감쌌다"라고 적었으니 만약 송막(松漠)의 위치가 냉형과 가깝다면 《요사》 태조 본기 911년 기사에서의 동쪽 끝인 '해(海)'는 '요하(遼河)'라는 결론에 도달할 수 있을 것이다.

《구당서》 거란전은 냉형(冷陘)에 대해서 "냉형산(冷陘山)은 그 나라의 남쪽에 있었는데 해의 서산(西山)과 서로 마주하고 있으며, 험준하였다. (거란의) 지방(영역)은 2천 리였다."라고 기술하였다.[40] 한편 《신당서》 해전은 냉형(冷陘)에 대해서 "한여름에는 반드시 냉형산(冷陘山)으로 옮겨 가 의지했는데, (그) 산은 규주(嬀州)의 서북쪽과 마주하고 있었다."라고 기술하였다.[41]

---

40) 《舊唐書》 卷二百一十二 契丹 : 冷陘山在其國南, 與奚西山相崎, 地方二千里。

규주(嬀州)는 현 하북성 장가구시(张家口市)의 선화현(宣化县)·회래현(怀来县)·회안현(怀安县)·탁록현(涿鹿县)과 북경시 연경현(延庆县) 일대를 가리킨다.[42] 서산(西山)에 대해서 《독사방여기요》 북직2는 "서산은 순천부의 서쪽 30 리에 있는데 태행산의 한 부분이다."라고 기술하였다.[43] 순천부는 현 북경시 일원을 가리킨다. 한편 『바이두백과』는 서산에 대해서 "북경의 서산(서쪽 산)을 가리키며, 태행산의 한 줄기이다."라고 하였으며, 또한 "태행산 북쪽 끝의 여맥(餘脈)"이라고 하였다. 즉 태행산맥의 북쪽 부분으로서 북경시의 서쪽에 뻗어 있는 산줄기를 가리킨다는 것이다.[44]

규주의 서북쪽은 현 장가구시 역성현(赤城县)의 서부와 숭례구

---

41) 《新唐書》 列傳第一百四十四 北狄 奚 : 盛夏必徙保冷陘山, 山直嬀州西北。

42) 『바이두백과』 '嬀州' : 妫州, 是中国古代行政区划名。唐贞观八年（公元634年）改北燕州置, 属河北道, 治怀戎县（今河北省涿鹿县西南保岱镇。长安二年（702年）移治清夷军城, 今河北省怀来县东南旧怀来）。辖境相当于今河北省张家口市、宣化县、怀来县、怀安县、涿鹿县及北京市延庆县等地。开元中朔方节度使张说在州北筑长城, 其东南有居庸塞, 形势险要, 为北方重镇。天宝初年改妫州为妫川郡。乾元元年（758年）恢复妫州。后晋天福三年（938年）作为燕云十六州的一部分, 被割让给契丹。契丹改名为可汗州。

43) 《讀史方輿紀要》 卷十一 北直二 : 西山(順天)府西三十里。太行山之別阜也。

44) 『바이두백과』 '西山' : 西山指的是北京西山, 是太行山的一条支阜, 古称"太行山之首", 又称小清凉山。宛如腾蛟起蟒, 从西方遥遥拱卫着北京城。因此, 古人称之为"神京右臂"。西山为太行山北端余脉, 峰岭连延, 历今房山、门头沟、石景山、昌平等几个区县, 古称无定河的永定河贯穿其中, 将西山截为南北两段。至于距城区较近的翠微山、平坡山、卢师山、香山以及西山余脉荷叶山、瓮山等。西山林海苍茫、烟光岚影、四时俱胜, 数百年来, 不知有多少文人学士为它四时的景色所倾倒, 游玩赏乐其间；或为之留下题咏, 为胜境增辉。诗人陈志岁《夏栖西山》曰："暂绝去来心, 西山一片林。枯根滴泉响, 嫩蝶抱花沉。日午蝉声懒, 庭荫榻迹深。白云如有意, 穿竹伴清吟。"此便是对西山物象人文的诗意表述。

(崇礼区) 일대이다. 서산은 현 하북성 보정시(保定市) 이현(易县)의 서쪽에서 북경시 회유구(怀柔区)까지 뻗은, 태행산맥의 북부이다. 규주의 서북쪽과 마주하고 있고, 동시에 서산과 마주하고 있는 지역은 장가구시 역성현의 동부에서 승덕시 펑닝만족자치현에 이르는 지역이다. 이 지역은 조백하(潮白河)의 상류로서, 역성현의 동부에서는 백하(白河)가, 펑닝만족자치현의 서부에서는 조하(潮河)가 발원한다. 즉 이 일대가 바로 '냉형(泠陘)'인 것이다.

냉형(泠陘)으로 불린 장가구시 역성현의 동부와 승덕시 펑닝만족자치현의 서부는 송막(松漠)으로 불린 내몽골 커스커텅기의 바로 남쪽이다. 따라서 《무경총요》 북번지리(北蕃地理)가 거란 영역의 변천을 서술하면서 "그 땅의 남쪽은 바다(海)와 접하였고, 동쪽은 요하(遼河)에 닿았으며, 서쪽은 냉형(泠陘)을 감쌌으며, 북쪽 경계는 송형(松陘)으로 하여 산천(山川)의 동서(東西)가 3천 리(三千里)이다"한 오대(五代) 시기의 영역에서 "서쪽은 냉형을 감쌌다"는 《요사》 태조 본기 태조 5년(911) 1월 기사의 "서쪽으로 송막(松漠)을 넘어가고"와 그대로 합치한다. 즉 이 태조 5년(911) 1월 기사에서의, 동쪽 끝에 위치한 "바다(海)"가 바로 '요하(遼河)'를 뜻한다는 사실에 비로소 접근하였다.

만약 그 영역을 표현함에 있어서 오대(五代)의 시기에 다소의 차이가 있다 하여도 《요사》 태조 본기에서 그 영역의 이룩함을 기술한 것은 911년 1월의 기사가 유일하고, 또한 그 해가 오대의 초기에 해당함으로 《무경총요》 북번지리와 《요사》 지리지 상경도 서두(지리지 서문)가 기술한 오대 시기 영역은 911년에 이룩한 영역보다 좁을 수가 없다. 따라서 《요사》 태조 본기 911년 기사가 동쪽 끝으로 제시한 '해(海)'는 요하(遼河)라는 결론을 확정할 수 있다.

911년 거란 영역의 동쪽 끝이 요하(遼河)이므로 908년의 진동해구(鎭東海口)는 요하를 동쪽으로 넘어설 수 없으며, 909년에 야율아보기가 행차한 요동(遼東) 역시 요하를 동쪽으로 넘어설 수 없다.[45] 즉 이 당시 거란과 발해는 요하를 분계(分界)로 삼아서 대치한 형국(形局)이었던 것이다.

45) 그런데 909년 야율아보기의 '요동 행차'를 요하 동쪽의 발해 영역에 대한 군사행동을 기술한 것이라고 주장하는 이가 있을 수 있다. 그러나 幸(행)은 순행(巡幸)·순수(巡狩) 등 통치자의 이동을 높여서 표현하는 글자로서 군사행동과 거리가 멀다. 만약 909년의 요동 방문이 군사행동이었다면 征(정)이나 伐(벌), 攻(공), 擊(격), 打(타) 등의 동사를 썼어야 옳다.

거란의 요동과 발해의 요동

앞에서 본 연구자는 《요사》 태조 본기 911년 1월 11일 기사 분석을 통해서 이 당시 거란의 동쪽 한계가 요하(遼河)였음을 밝혔다. 이를 근거하여 909년에 야율아보기가 방문한 '요동(遼東)'이 요하의 동쪽 지역이 될 수 없다는 결론에 도달하였다.

그런데 야율아보기는 915년 10월에 압록강(鴨淥江)에서 낚시를 하고, 918년 12월에 요양고성(遼陽故城)을 방문하여, 그 이듬해인 919년 2월에는 이 고성을 수리해서 동평군(東平郡)을 건립한다. 그 군명인 '東平'은 "동쪽이 평정되다", 또는 "동쪽을 평안히 하다"는 뜻이다. 거란의 동쪽은 발해이므로, 동평군의 이러한 군명은 발해와 연관 있을 것이 분명한데, 야율아보기는 또한 이곳에 전방의 군사전략적 역할을 담당하는 방어사(防禦使)를 설치한다. 발해를 대상한 것임은 자명하다. 그리고 919년 5월에 동평군에서 돌아온다. 기록상 무려 5개월 동안 옛 요양고성 자리인 동평군에 머문 셈이다. 이는 이때의 동평군 지역이 완전히 안정적으로 거란의 소유가 돼 있었음을 의미한다.

《요사》 태조 본기의 해당 기사에 따르면, 동평군을 건립할 때에 그 민호(民戶)를 발해인과 한인(漢人)으로 채웠다. 민호 구성에 발해인이 포함돼 있었다는 사실은 이 지역이 본래 발해 영토였는데 거란이 전쟁을 통해 빼앗은 것이다 하는 추정을 가능케 한다. 물론 漢人의 경우처럼 약탈해온 민호일 가능성도 있다. 그러나 오히려 역사시대의 모든 '압록강'을 현 서북한 압록강에 고정하여 놓고 불변론을 고수하는 사학계의 입장에 기댄다면 야율아보기가 '압록강(鴨淥江)'에서 낚시를 한 915년에 즈음하여 거란이 요하의 동쪽, 기존 발해 영역의 일부를 빼앗아 차지한 것으로 볼 수 있을 것이다. 과연 그러할까? 문제는 '요양고성(遼陽故城)'을 현 요양시 백탑구에 비정한 사학계 통설에 있다. 즉 "현 요양시 백탑구"라는 위치 자체가 사학계 통설의 맹점(盲點)이다.

사학계 통설이 전한(前漢) 요동군(遼東郡)의 양평(襄平)·요양(遼陽) 두 현의 치소가 있던 곳이자 고구려 요동성(遼東城)이 있던 곳이자 당(唐)나라의 안동도호부(安東都護府)가 있던 곳이자 거란의 요양고성(遼陽故城)·동평군(東平郡)·동경(東京)이 있던 곳으로 비정한 현 요녕성 요양시 백탑구와 그 일원은 태자하(太子河)의 남안(南岸)으로서, 기존 거란의 영역에서 이곳에 접근하기 위해서는 요하(遼河)·혼하(渾河)·태자하(太子河)의, 규모가 큰 강 3 곳을 극복해야 한다. 뿐만 아니라 신민시(新民市) 남쪽, 반금시(盤錦市) 북쪽, 북진시(北鎭市) 동쪽, 요하 서쪽에 위치한 너비 수백 리의 거대한 천연 늪지대(沼澤地)를 극복해야 한다.

그런데 915년을 전후하여 거란이 요하의 동쪽에서 현 압록강에 이르는 지역을 빼앗아 차지하였고, 919년에 요양시 백탑구에 소재한 요양고성을 수리해서 동평군(東平郡)을 건립하여 이 일대를 행정적으로 통치하고 있었다면 요하의 서쪽에서 이 지역으로 도달하는 중간지대를 교통로로서 확보하고 있었어야 한다. 그 지대는 요하 서쪽의 소택지(沼澤地)를 사이에 두고서 남쪽으로는 현 반금시, 북쪽으로는 철령시 일부와 심양시 서부 지역에 해당한다.

요·금대(遼代)에 남쪽 경로가 교통로로서 이용된 사실이 문헌에서 확인된다. 《무경총요》 북번지리 동경 조의 동경-중경 간 도리(道里)정보 기술[46]과 《신오대사》[47]·《거란국지》[48] 등에 수록돼 있

46) 《武經總要·前集》 邊防一下 北蕃地理 東京 條 : 西至遼河百五十里, 又八百八十里至中京, 西六十里至鶴柱館, 又九十里至遼水館, 又

는 947년 후진(後晉)의 출제(出帝) 석중귀(石重貴)의 황룡부 유배 노정기(路程記)가 그것이다. 그러나 이는 두 건에 불과하고, 북쪽 경로가 주 교통로로서 이용된 사례가 지배적이다.

소택지의 북쪽을 경유해서 요하의 동서를 오가는 교통로는 《무경총요》 북번지리 현주(顯州) 조의 기술[49], 북송 휘종(徽宗) 선화(宣和) 7년(1125)에 금 태종의 즉위를 축하하기 위한 사절단의 일원으로서 육로를 통해 금나라를 방문한 송나라 사신 허항종(許亢宗)이 남긴 일정록(日程錄)인 《선화을사봉사금국행정록》[50], 금인

七十里至閭山館, 在醫巫閭山中, 又九十里至獨山館, 又六十里至唐葉館, 又五十里至乾州；微北六十里至楊家寨館, 又五十里至遼州；北六十里至宜州, 又百里至牛心山館, 在牛心山北中, 又六十里至霸州, 又七十里至建安館, 又五十里至富水、會安至中京三驛程, 各去七十里

47)《新五代史》卷十七 晉家人傳第五 : 自幽州行十餘日, 過平州, 出榆關, 行砂磧中, 飢不得食, 遣宮女、從官, 採木實、野蔬而食。又行七八日, 至錦州, 虜人迫帝與太后拜阿保機畫像。帝不勝其辱, 泣而呼曰:「薛超誤我, 不令我死!」又行五六日, 過海北州, 至東丹王墓, 遣延煦拜之。又行十餘日, 渡遼水, 至渤海國鐵州。又行七八日, 過南海府, 遂至黃龍府。

48)《契丹國志》卷之三 太宗嗣聖皇帝下 : 晉侯自幽州十餘里, 過平州, 沿途無供給, 飢不得食, 遣宮女、從官採木實、野蔬而食。又行七八日, 至錦州, 衛兵迫拜太祖畫像, 不勝屈辱而呼曰:「薛超悞我, 不令我死。」馮後求毒藥, 欲與晉侯俱自死, 不果。又行五六日, 過海北州, 至東丹王墓, 遣延煦拜之。又行十餘日, 渡遼水, 至渤海國鐵州。又行七八日, 過南海府, 遂至黃龍府。

49)《武經總要·前集》邊防一下 北蕃地理 顯州 條 : 東至遼州九十里又三百九十里至東京

50)《宣和乙巳奉使金國行程錄》: 第二十三程:自顯州九十里至兔兒渦。第二十四程:自兔兒渦六十里至梁魚務。離兔兒渦東行, 即地勢卑下, 盡皆萑苻沮洳積水。是曰, 凡三十八次渡水, 多被溺。[有河] 名曰遼河。瀕河南北千餘里, 東西二百里, 北遼河居其中, 其地如此。隋唐征高麗, 路皆由此。秋夏多蚊虻, 不分晝夜, 無牛馬能至。行以衣包裹胸腹, 人皆重裳而披衣, 坐則蒿草薰煙稍能免。務基依水際, 居民數十家環繞。彌望皆荷花, 水多魚。徘徊久之, 頗起懷鄉之思。第二十五程:

(金人) 왕성체(王成棣)가 정강의 변(靖康之變) 직후인 1127년에 송 흠종과 휘종 등을 금나라까지 압송한 과정을 기록한 문서인 《청궁역어》[51], 북송(北宋)의 말제(末帝) 흠종(欽宗)의 송환 협상을 위해 남송 고종(高宗) 건염(建炎) 3년(1129)에 금나라를 방문한 홍호(洪皓)가 15년 동안 억류된 후 풀려나서 1144년에 귀환하는 과정에서 그 도리(道里)정보를 취득한 《송막기문》[52], 남송 고종 소흥(紹興) 31년(1161)에 귀정관(歸正官) 장체(張棣)가 작성한 금국 정보서인 《금로도경》[53] 등에 노정(路程)으로서 제시돼 있다. 이밖에 12세기 초 여진의 금국 군대가 요하 서쪽을 공격한 바에 대한 《요사》와 《금사》의 진공(進攻) 관련 기사, 금(金)의 관리 왕적(王寂)이 남긴, 1190년의 업무 일지인 《요동행부지(遼東行部志)》에서도 북쪽 교통로가 이용되었음이 관찰된다.

훗날 동경(東京)을 근거하여 반란을 일으킨 1029년의 대연림(大延琳)과 1116년의 고영창(高永昌) 세력은 요하로 가는 경로인 현 심양시 일대를 장악하지 못 해서 결국 지리멸렬(支離滅裂)해졌는데, 특히 그 진압 주체가 요하 서쪽에서 오는 요나라 군대였던 대연림의 경우에 요하의 동서를 잇는 남쪽 경로에서 양측의 공방(攻防)이 벌어진 바가 관찰되지 않는다. 즉 요하의 동서를 잇는 중

自梁魚務百單三里至沒咄［孛堇］寨。「沒咄」，小名；「孛堇」，漢語為官人。第二十六程：自沒咄寨八十里至瀋州。

51) 《青宮譯語》：初六日，過顯州。初七日，過兔兒渦。初八日，渡梁魚渦。此兩日如在水中行，妃姬輩雖臥兜子中，駝馬背亦濕透重裳。地獄之苦，無加於此。初九日，趕出孛堇鋪，即屯宿暴衣。初十日，駐馬。十一日，過沈州三十里。十二日，抵咸州。

52) 《松漠紀聞·續》： 沈州六十里至廣州七十里至大河六十里至梁漁務三十五里至兔兒堝五十里至沙河五十里至顯州

53) 《三朝北盟會編》 卷二百四十四 ：顯州至沙河五十里沙河至兔兒窩五十里兔兒窩至梁魚務三十三里梁魚務至大河六十里大河至廣州七十里廣州至瀋州六十里

심 회랑(回廊)은 남쪽이 아니라 북쪽이었던 것이다.

그런데 《요사》 태조 본기의 924년 5월 기사[54]에 따르면, 거란이 계주(薊州)의 백성을 요주(遼州)로 옮겨서 그 민호(民戶)를 채우자 발해가 침략해서 그 자사(刺史) 장수실(張秀實)을 살해하고 백성을 약탈해간 사건이 있다. 요주(遼州)는 중국 사학계에 의해 요령성 신민시 요빈촌(遼濱村) 요빈탑(遼濱塔) 일원에 비정[55]돼 있다. 즉 요하의 서쪽이다. 요하의 서쪽, 신민시 지역에 위치해 있던 요주(遼州)를 공격하여 그 자사를 죽이고, 백성을 약탈해갔다는 것은 발해가 요주로 접근하는 요하의 동쪽 지역을 차지하고 있었어야 가능한 일이다.

거란은 발해의 공격을 받은 두 달 후인 같은 해 7월에 발해를 대대적으로 공격하였다. 이는 《거란국지》·《자치통감》·《오대회요》·《구오대사》 등에 기록돼 있는데, 특기할 점은 이들 사서 모두 이때에 거란이 "발해의 요동(渤海之遼東)"을 공격했다고 적고 있다는 사실이다.

---

54) 《遼史》 卷二 本紀第二 太祖下 : 是月, 徙薊州民實遼州地。渤海殺其刺史張秀實而掠其民。

55) 谭其骧 外 著 『중국역사지도집』 요 동경도, 『중문위키백과(維基百科)』 '遼州 (遼寧)' : 始平軍, 節度州。唐太宗征討高句麗, 李世撥遼城 ; 詔程振、蘇定方討高句麗, 至新城, 大破之 ; 皆此地也。耶律阿保機伐渤海國, 力戰二十餘載乃得之, 為東平軍。契丹神冊六年 (921年) , 徙檀、順民於東平、瀋州。天贊三年 (924年) 五月, 徙薊州民實遼州地。天贊五年 (926年) , 滅渤海國, 故東平府都督伊、蒙、陀、黑、北五州, 皆廢。紫蒙縣後徙遼城。遼太宗更為始平軍, 隸長寧宮, 兵事屬北女直兵馬司。治遼濱縣 (今遼寧省新民市東北遼濱塔村) , 下轄祺州、遼濱縣、安定縣, 屬東京道。轄境約今遼寧省新民市東部至法庫縣南部一帶。金朝皇統三年 (1143年) 廢州為遼濱縣, 屬於瀋州。

본 연구자는 앞서 《요사》 태조 본기 911년 1월 기사 분석을 통해서 이 당시 거란의 동쪽 한계가 요하(遼河)였음을 밝혔고, 이를 근거하여 909년에 야율아보기가 방문한 '요동(遼東)'이 요하의 동쪽 지역이 될 수 없다는 결론을 도출하였다. 더욱이 924년 5월의, 발해의 요주(遼州) 공격 사건은 발해가 요하의 동쪽 지역에 아직 건재하였음을 시사하고 있다. 따라서 《거란국지》·《자치통감》·《오대회요》·《구오대사》 등이 기술한 "발해의 요동(渤海之遼東)"은 당시 발해가 차지하고 있던 요하의 동쪽 지역을 가리키는 것이 분명하다고 판단할 수 있다.

즉 요하를 분계(分界)로 삼고서 그 좌우에 '거란의 요동'과 '발해의 요동'이 병존(竝存)하였던 것이다. 그렇다면 924년 7월 거란의, 발해의 요동에 대한 공격은 어떻게 됐을까? 이에 대해서 《자치통감》의 그해 9월 계묘(癸卯)일 기사는 "거란이 발해를 공격했으나 아무런 성과 없이 퇴각했다"[56]고 기록하고 있다. 결국 거란은 924년의 이 공격에서 요하의 동쪽을 빼앗지 못 한 것이다.

이러한 사실로써 볼 때에 야율아보기가 918년 12월에 방문한 '요양고성(遼陽故城), 919년 2월에 그 요양고성을 수리해서 건립한 '동평군(東平郡)'이 현 요양시 백탑구 일원에 있었다 하는 사학계 통설의 주장은 성립할 수 없다. 또한 요양고성과 동평군이 현 요양시 백탑구 일원에 존재하지 않았으므로 같은 자리에 들어선 남경, 즉 훗날의 동경 또한 요양시 백탑구에 위치하지 않았다는 결론에 도달할 수 있다.

---

56) 《資治通鑑》 卷二百七十三 : (同光二年 九月 癸卯) 契丹攻渤海, 無功而還。

921년(신책 6년)의 동평과 심주

《요사》 태조 본기 921년 12월 을묘일 기사는 야율아보기가 "단주(檀州)와 순주(順州)의 백성을 동평(東平)과 심주(瀋州)로 이주"토록 하는 지시[57]를 한 사실을 전하고 있다. 본 연구자가 앞서 "적어도 924년까지는 거란이 요하 동쪽 지역을 빼앗지 못 하였고, 따라서 이 시기에 동평군이 현 요양시 백탑구 일원에 존재할 수 없다."하는 논증을 했음에도 불구하고 태조 본기 신책 6년(921) 기사에서의 '심주(瀋州)'의 등장은 이러한 논증을 정면으로 반박하는 논리의 바탕이 될 수 있다. 심주는 요·금(遼金) 시대에 현 심양시에 위치했기 때문이다. 즉 924년 7월에 현 신민시 일대에 위치한 요주(遼州)를 발해가 공격하여 자사를 죽이고 백성을 약탈해간 사실에도 불구하고, 심주가 이미 그 전인 921년에 현 심양시에 존재하고 있었다면 거란이 심양시의 북쪽, 범하(范河) 등을 경계로 하여 발해와 대치하면서 그 남쪽으로 요하 좌안(左岸)의 중남부를 차지하고 있었다는 추론이 가능한 것이다. 따라서 태조 본기 921년 12월 을묘일 기사는 보다 정밀한 분석이 요구된다.

야율아보기와 거란군은 921년 11월~12월에 단주(檀州)·순주(順州)뿐만 아니라 유주(幽州)·계주(薊州)·정주(定州)·탁주(涿州) 등 현 하북성 중·북부를 대대적으로 공략하고 있었다. 이 과정에서 획득한 포로(生口)는 거란의 내지(內地)로 강제 이주시켰다. 921년 12월에 야율아보기가 단주(檀州)와 순주(順州)의 백성을 동평(東平)과 심주(瀋州)로 옮기라 하는 명령을 내린 그 한 달 전에도 "군사를 나누어 단주(檀)·순주(順), 안원군(安遠), 삼하현(三河)·량향현(良鄉)·망도현(望都)·로현(潞), 만성(滿城)과 수성(遂城) 등

57) 《遼史》 卷二 本紀第二 太祖下 : (神冊六年十二月) 己卯, 還次檀州, 幽人來襲, 擊走之, 擒其裨將。詔徙檀、順民於東平、瀋州。

10여 성을 공략하여 그 백성을 노획하여 내지로 옮긴 사실"이 태조 본기의 같은 해 11월 정미(丁未)일 기사에 기술[58]돼 있다.

921년에 이미 심주(瀋州)가 존재하고 있었고, 그 심주에 《요사》 태조 본기 921년 12월 을묘일 기사가 전한대로 단주와 순주의 백성이 끌려온 것이 사실이라면 《요사》 지리지 심주 조에는 이러한 연혁 정보가 기술돼 있을 것이다. 다음의 표는 《요사》 지리지 동경도 심주 조의 기술[59]을 국역하여 정리한 것이다.

주명	내용
심주 (沈州)	소덕군(昭德軍)을 두었으며 중급(中)으로 절도사(節度)가 관할하였다. 본래 읍루국(挹婁國) 땅이다. 발해(渤海)가 심주(沈州)를 건립하여 옛 현(縣) 9 개였는데 모두 없앴다. 태종(太宗, 야율덕광)이 흥요군(興遼軍)을 설치했는데 훗날 이름을 (소덕군으로) 바꿨다. 처음에는 영흥궁(永興宮)[60]에 예속되었는데 뒤에 돈목궁(敦睦宮)[61]에 속하였고, 군사는 동경도부서사(東京都部署司)에 예속되었다. 1 개의 주(州)와 1 개의 현을 통할하였다. 낙교현(樂郊縣). 태조(太祖, 야율아보기)가 계주(薊州)의 삼하현(三河) 백성을 사로잡아서 삼하현(三河縣)을 건립했다가 뒤에 (낙교현으로) 이름을 바꿨다. 영원현(靈源縣). 태조(太祖)가 계주(薊州)의 관리와 백성(吏民)을

58) 《遼史》 卷二 本紀第二 太祖下 : (神冊六年) 十一月癸卯, 下古北口。丁未, 分兵略檀、順、安遠、三河、良鄕、望都、潞、滿城、遂城等十餘城, 俘其民徙內地。

59) 《遼史》 卷三十八志第八 地理志二 東京道 : 沈州, 昭德軍, 中, 節度。本挹婁國地。渤海建沈州, 故縣九, 皆廢。太宗置興遼軍, 後更名。初隸永興宮, 後屬敦睦宮, 兵事隸東京都部署司。統州一、縣二 : 樂郊縣。太祖俘薊州三河民, 建三河縣, 後更名。靈源縣。太祖俘薊州吏民, 建漁陽縣, 後更名。巖州, 白巖軍, 下, 刺史。本渤海白巖城, 太宗撥屬沈州。初隸長寧宮, 後屬敦睦宮。統縣一 : 白巖縣。渤海置。

	사로잡아서 어양현(漁陽縣)을 건립했다가 뒤에 이름을 바꿨다.
암주(巖州)	백암군(白巖軍)을 두었으며, 하급(下)으로 자사(刺史)가 관할하였다. 본래 발해(渤海)의 백암성(白巖城)으로 태종(太宗)이 없애고 심주(沈州)에 소속시켰다. 처음에는 장녕궁(長寧宮)[62]에 예속돼 있었는데 훗날 돈목궁(敦睦宮)에 소속되었다. 통할하는 현은 1 개다. 백암현(白巖縣). 발해(渤海)가 설치했다.

심주는 瀋州가 정식 표기인데 그 간체자인 沈州가 혼용돼 보다 더 널리 쓰였다. 상기 국역해 보인 바대로 지리지 심주 조의 기술은 단주와 순주를 그 연혁으로서 전혀 언급하고 있지 않다. 심주는 발해가 건립한 주(州)로서 본래 읍루국 땅이라고 하였는데 이는 발해 멸망 후에 본래의 위치에서 이곳으로 교치(僑置)돼 왔음을 뜻한다. 《신당서(新唐書)》 발해전에는 발해의 행정구역과 그 연혁

---

60) 요 태종 야율덕광의 궁호(宮)이다. (《遼史》 卷三十一 志第一 營衛志上 : 太宗曰永興宮)

61) 경종(景宗)의 차남 효문황태제((孝文皇太弟) 야율융경(耶律隆慶, 973~1016)의 궁이다. (《契丹國志》 卷之二十三 宮室制度 : 隆慶曰敦睦宮, 《遼史》 卷三十一志第一 營衛志上 : 孝文皇太弟敦睦宮, 謂之赤實得本斡魯朵。孝曰「赤實得本」。『중문위키백과』 '耶律隆慶')

62) 《요사》는 야율아보기의 비(妃)이자 요 태종과 동단왕 야율배의 어미인 응천황후(應天皇后)의 궁(宮)이라고 기술(《遼史》 卷三十一志第一 營衛志上 : 應天皇后曰長寧宮)하고 있는 반면 《거란국지》는 야율돌욕(耶律突欲), 즉 동단왕 야율배의 궁(宮)이로 기술(《契丹國志》 卷之二十三 宮室制度 : 突欲曰長寧宮)하였다. 그런데 《요사》 영위지(營衛志)를 더 자세히 살펴보면 야율배의 장남인 요 세종이 본래 응천황후 술율평의 것이었던 장녕궁을 죽은 제 아비 야율배(양국황제)에게 돌려놓았다는 기술(《遼史》 卷三十一志第一 營衛志上 : 蒲速碗斡魯朵, 應天皇太后置。興隆曰「蒲速碗」。是為長寧宮。以遼州及海濱縣等戶置。其斡魯朵在高州, 陵寢在龍化州東一百里。世宗分屬讓國皇帝宮院。正戶七千, 蕃漢轉戶六千, 出騎軍五千。州四 : 遼、儀坤、遼西、顯。縣三 : 奉先、歸義、定霸。)을 발견할 수 있다.

등이 비교적 상세히 기록돼 있는데 그 가운데에 정리부(定理府)가 있다. 발해전은 정리부에 대해 서술하기를 "읍루(挹婁)의 옛 땅(故地)에 설치되었으며, 정주(定州)와 반주(潘州) 2주를 다스렸다"[63] 고 하였다. 즉 심주(瀋州)는 본래 《신당서》 발해전이 언급한 정리부의 반주(潘州)[64]가 발해 멸망 후에 현 심양시 지역으로 교치돼 온 것이다.

발해 정리부(定理府)는 926년 2월, 홀한성(忽汗城)이 함락되고 곧바로 동단국(東丹國)이 들어선[65] 후에도 3월[66]과 5월[67] 두 차례에 걸쳐서 반란을 일으켰다. 기록상 거란에 가장 끈질기게 저항한 곳이다. 사학계에는 정리부가 있던 지역에 대해서
① 파르티잔스크시(Партизанск) 수청강(水淸江)[68] 유역설, ② 올기만(Zaliv Ol'gi) 부근설, ③ 우수리강(Уссу́ри)[69] 유역설 등 세

63) 《新唐書》 列傳第一百四十四 北狄 渤海 : 挹婁故地為定理府, 領定、潘二州

64) 심주의 瀋과 반주의 潘은 자형(字形)의 근사성(近似性)으로 인해서 어느 한 쪽이 다른 쪽으로 와전(訛傳)된 것일 텐데, 오히려 《신당서》 발해전의 潘州가 瀋州의 오기(誤記)일 수 있다.

65) 《遼史》 卷二 本紀第二 太祖下 : 二月庚寅, 安邊、鄚頡、南海、定理等府及諸道節度、刺史來朝, 慰勞遣之。以所獲器幣諸物賜將士。壬辰, 以青牛白馬祭天地。大赦, 改元天顯。以平渤海遣使報唐。甲午, 復幸忽汗城, 閱府庫物, 賜從臣有差。以奚部長勃魯恩、王鬱自回鶻、新羅、吐蕃、黨項、室韋、沙陀、烏古等從征有功, 優加賞賚。丙午, 改渤海國為東丹, 忽汗城為天福。冊皇太子倍為人皇王以主之。以皇弟迭剌為左大相, 渤海老相為右大相, 渤海司徒大素賢為左次相, 耶律羽之為右次相。赦其國內殊死以下。

66) 《遼史》 卷二 本紀第二 太祖下 : 三月戊午, 遣夷離畢康默記、左付射韓延徽攻長嶺府。甲子, 祭天。丁卯, 幸人皇王宮。己巳, 安邊、鄚頡、定理三府叛, 遣安端討之。

67) 《遼史》 卷二 本紀第二 太祖下 : 五月辛酉, 南海、定理二府復叛, 大元帥堯骨討之。

68) 현 중국 지명은 소성강(蘇城江)이다.

69) 중국 지명은 오소리강(烏蘇里江)

가지 설이 병립(竝立)[70]해 있는데 연해주(沿海州) 지방인 것은 일치하고 있다.

즉 926년 정리부의 반란이 완전히 평정된 후에 곧바로 교치 및 사민돼 왔거나 927년~928년 동단국민이 사민되고, 그 행정지가 교치돼 올 때에 옮겨진 것인데, 이로써 읍루 및 정리부를 연원으로 하는 곳은 심주(瀋州)만이 아니었다.

지명	기사	사학계 비정지
심주(沈州)	본래 읍루국 땅이다.[71]	현 요녕성 심양시 중심가
쌍주(雙州)	본래 읍루의 옛 땅이다.[72]	현 심양시 법고현(法庫縣) 대사산자촌(大蛇山子村) 동쪽, 요하 서안(西岸)
정리부(定理府)	옛 읍루국 땅이다.[73] 심주 읍루현. 요(遼)의 흥주 인중군 상안현이었다. 요(遼)가 일찍이 정리부 자사를 이 곳(흥주 상안현)에 설치했다. 본래 읍루의 옛 땅이다.[74]	현 철령시 철령현 서남쪽 의로촌(懿路村)

이 지역은 공교롭게도 요하의 동쪽에서 그 서쪽 건너편의, 신민

70) 『세계한민족문화대전(http://www.okpedia.kr/)』, 『한국민족문화대백과사전』 '정리부(定理府)'

71) 《遼史》 卷三十八 志第八 地理志二 東京道 : 本挹婁國地。渤海建沈州, 故縣九, 皆廢。

72) 《遼史》 卷三十八 志第八 地理志二 東京道 : 本挹婁故地。渤海置安定郡, 久廢。

73) 《遼史》 卷三十八 志第八 地理志二 東京道 : 故挹婁國地。

74) 《金史》 志第五 地理上 : 挹樓遼舊興州人中軍常安縣, 遼嘗置定理府刺史於此, 本挹樓故地,

시 일대에 있었던 요주(遼州)로 접근하는 회랑(回廊)에 해당한다. 그런데 심주와 정리부는 발해 정리부가 이 지역으로 교치돼 온 후에 설치되었으므로 그 시기는 이르면 926년, 늦으면 928년 이후다. 쌍주는 구리증(漚里僧, 액리삼額哩森) 왕(王)이 태종을 따라 남정(南征)할 때에 사로잡은 진주(鎭州)와 정주(定州) 주민들로써 성(城)을 세우고 주(州)를 설치하면서 만들어졌는데 본래 두하군주(頭下軍州) 성격의 주였던 모양으로, 야율찰할(察割, 찰극克)이 반역죄로 죽임을 당하면서 국가에 몰수[75]되어 동경도에 편성되었다. 따라서 쌍주의 최초 설치 역시 아무리 이르게 잡아도 태종 재위 때이므로 927년 이후다.

즉 심주(瀋州)는 926년 이후 거란이 발해 정리부와 그 백성을 교치·사민해 와서 이를 근거하여 설치[76]하였고, 그 주명(州名) 자체도 《신당서》 발해전의 기록된 '반주(瀋州)'와 관련이 깊으므로, 또한 심주와 동일하게 정리부를 연혁으로 하는 쌍주와 정리부(흥주)가 심주 부근에 요하를 좌우하여 존재하였는데 그 설치시기가 정리부는 심주와 동일하게 926년 이후, 쌍주는 태종 재위 시로서 927년 이후이므로 《요사》 태조 본기 921년(신책 6년) 12월 을묘일 기사에 처음 등장한 '심주(瀋州)'는 편찬 과정에서 주명(州名)을 소급하여 기술했거나 다른 주(州)의 이름을 오기(誤記)한 것으로밖에 달리 판단할 수 없다.

그렇다면 '심주(瀋州)'로 오기됐거나 소급된, 921년 12월 당시

---

75) 《遼史》 卷三十八 志第八 地理志二 東京道 : 漚裏僧王從太宗南征, 以俘鎮、定二州之民建城置州。察割弑逆誅, 沒入焉。

76) 《요사》 지리지 심주 주의 기술을 찬찬히 보면 심주는 태종이 설치하였다는 사실을 알 수 있다. 그 근거는 첫째, 심주에 설치된 군사(軍司)를 태종이 처음 설치했는데 그 명칭은 흥요군(興遼軍)이었다. 둘째, 심주는 처음에 태종의 궁(宮)인 영흥궁(永興宮)에 예속돼 있었다.

본래의 주명(州名)은 무엇이었을까? 그 단서는 《요사》 지리지 심주 조에서, 심주에 속한 현(縣)의 연혁을 토대로 추정할 수 있을 것이다.

현명(縣名)	개칭 전 현명	주민의 성분(출신지)
낙교현(樂郊縣)77)	삼하현(三河縣)	계주(薊州) 삼하현 백성(三河民)
영원현(靈源縣)78)	어양현(漁陽縣)	계주(薊州)의 관리와 백성(吏民)

《요사》 지리지 심주 조는 심주의 속현 두 곳 모두 태조, 즉 야율아보기가 계주에서 백성을 노획하여 와서 현(縣)을 만들어서 살게 하였다고 적었다. 야율아보기가 계주 등지를 공격하여서 그 백성들을 대거 거란 내지(內地)로 이주시킨 때는 《요사》 태조 본기 전체에서, 심주(瀋州)가 언급되기 한 달 전인 921년 11월 정미일이다. "11월 계묘일, 고북구가 떨어졌다. 정미일, 군사를 나누어(分兵) 단주(檀)·순주(順), 안원군(安遠), 삼하현(三河)·량향현(良鄉)·망도현(望都)·로현(潞), 만성(滿城)과 수성(遂城) 등 10여 성을 공략하여 그 백성을 노획하여 내지로 옮겼다."79)한 기사가 그것이다. 심주의 속현 두 곳은 본래 그 현명(縣名)조차도 계주(薊州)의 것을 그대로 사용하였다. 따라서 이 두 현이 속한 주(州) 역시 그 본래의 명칭이 계주(薊州)였을 개연성이 크다. 즉 《요사》 태조 본기 921년 12월 을묘일 기사에 처음 등장한 '심주(瀋州)'는 《요사》

77) 《遼史》 卷三十八 志第八 地理志二 東京道 沈州 : 樂郊縣。太祖俘薊州三河民, 建三河縣, 後更名。

78) 《遼史》 卷三十八 志第八 地理志二 東京道 沈州 : 靈源縣。太祖俘薊州吏民, 建漁陽縣, 後更名。

79) 《遼史》 卷二 本紀第二 太祖下 : (神冊六年) 十一月癸卯, 下古北口。丁未, 分兵略檀、順、安遠、三河、良鄉、望都、潞、滿城、遂城等十餘城, 俘其民徙內地。

편찬 과정에서 계주(薊州)를 오기(誤記)하였거나 후대의 명칭을 당대에 소급하여 적은 결과로 판단할 수 있는 것이다.

심주(瀋州)의 연혁을 정리하면, 본래 921년에 계주(薊州)에서 약탈해 온 한인(漢人)을 근거하여 설치한 주명(州名) 미상으로서, 단지 '계주'였을 것으로 추정되는 어떤 주(州), 그리고 926년 발해 멸망 이후 요(遼) 태종 대(代)에 발해 정리부(定理府)를 현 요녕성 심양시와 철령시 일대에 교치할 때에 옮겨진 정리부의 반주(潘州), 이렇게 두 주(州)를 요 태종이 반주(潘州)를 주명(州名)으로 하여 통합하여 새롭게 설치함으로써 만들어졌다.

구분	주명(州名) 미상	심주(瀋州)
본래 소속 명칭	계주(薊州)	정리부 반주(潘州)
본래 위치	현 당산시(唐山市) 중·서부	현 연해주
교치·사민 위치	미상	현 심양시
교치·사민 시기	921년	926년 이후
설치 시기	921년	요 태종 재위(927~947)

실제는 계주(薊州)가 주명(州名)이었을 것으로 추정되는, 《요사》 태조 본기 921년 12월 기사에서의 '심주(瀋州)'는 그 당시 사실 정황을 고려할 때에 요하의 동쪽 지역에 위치했다고 볼 수 없다. 따라서 그 서쪽에서 위치를 찾아야 할 것인데, 이 주(州)가 921년 11월~12월에 야율아보기와 거란군이 현 하북지역을 공략할 때에 획득한 한인(漢人)을 기반하여 설치된 만큼 《요사》 태조 본기의 해당 기사, 그리고 지리지에서 921년 한인 노획 및 사민과 관련된 몇몇 주(州)의 기술 내용을 종합하여 보다 전체적 맥락 속에서 접근할 필요가 있다.

먼저 《요사》 태조 본기 921년(신책 6년) 11월과 12월의 사민(徙民) 기사를 표에 정리하면 다음과 같다.

11월 정미일	군사를 나누어 단주·순주, 안원군, 삼하현·랑향현·망도현·로현, 만성과 수성 등 10여 성을 공략하여, 그 백성을 노획하여 내지로 옮겼다.[80]
12월 을묘일	단주로 돌아왔는데 유주인들이 습격하여 와서 공격하여 물리치고 그 비장(裨將)을 사로잡았다. 단주와 순주의 백성을 동평과 심주로 이주시키라고 지시했다.[81]

다음은 921년에 즈음하여 이때에 노획한 한인(漢人)으로써 설치됐거나 설치된 것으로 추정되는 행정지인데, 가까운 시기에 한인 포로로써 설치됐거나 설치된 것으로 추정되는 곳도 포함하였다.

가 - 동평군(東平郡)

요양고성(遼陽故城)을 수리해서 설치. 발해인과 한인(漢人)으로써 민호(民戶)를 채움. 《요사》 태조 본기의 기록에 근거하여 919년 2월(음)에 설치됐음을 알 수 있음. 사학계 통설에서는 현 요양시 백탑구에 비정하고 있으나 본 연구자의 고찰 결과 현 요하 서쪽에 위치

나 - 요주(遼州)

야율아보기가 가장 먼저 빼앗은 발해 영역으로, 《요사》 태조 본기의 기록에 근거하여 924년 5월(음) 이전에 설치됐음을 추정할 수 있음. 중국 사학계에서는 현 신민시 요빈촌 요빈탑 일대에 비정.[82]

---

80) 《遼史》 卷二 本紀第二 太祖下 : (神冊六年) 十一月癸卯, 下古北口。丁未, 分兵略檀、順、安遠、三河、良鄉、望都、潞、滿城、遂城等十餘城, 俘其民徙內地。

81) 《遼史》 卷二 本紀第二 太祖下 : (神冊六年 十二月) 己卯, 還次檀州, 幽人來襲, 擊走之, 擒其裨將。詔徙檀、順民於東平、瀋州。

다 - 기주(祺州)

요주(遼州)의 속주(屬州). 단주(檀州)에서 한인 포로들을 데려다가 설치. 본래 주명 또한 단주였으나 훗날 기주로 개칭. 《요사》 지리지 상경도 두하군주(頭下軍州) 수주(遂州) 조에는 '단주(檀州)'로 표기돼 있음.[83] 속현인 경운현 또한 단주 밀운현의 한인들을 붙잡아다가 만든 까닭에 최초의 현명이 밀운현이었으나 훗날 경운현으로 고침. 《요사》 태조 본기의 기록에 근거하여 921년 11월(음) 이후에 설치됐음을 추정할 수 있음. 중국 사학계에서는 현 심양시 강평현(康平縣) 동남부, 요하 서안(西岸)에 비정.[84]

라 - 순주(順州)

계주(薊州)와 순주(順州)의 주민을 붙잡아 와서 성을 짓고 살게 함. 중국 사학계에서는 석경당(石敬瑭)으로부터 연운(燕雲)16주를 할양 받고서 그 일대에 남경석진부(南京析津府)를 설치한 사실을 근거하여 이즈음에 계주와 순주에서 백성을 사민하여 938년에 두하군주 순주가 설치됐다고 보고 있음. 그러나 《요사》 태조 본기의 기록(921년 음력 11월 정미일과 12월 을묘일)에서 계주·단주·유주뿐만 아니라 순주의 주민 역시 약탈돼 거란의 내지로 이주된 사실이 나타나고, 본래 그 주민이 살던 곳의 주·현명을 그대로 사용한 사례에 비추어볼 때에 921년 11월(음) 이후에 설치됐다고 봄이 타당. 중국 사학계에서는 현 부신시(阜新市) 대파진(大巴鎮) 동남쪽에 비정.[85]

마 - 심주(瀋州)

삼하현(三河縣)과 어양현(漁陽縣) 등 계주(薊州)의 한인(漢人)을 이주시켜 설치. 당시 실제 주명(州名)은 계주(薊州)로 추정되며, 또한 《요사》 태조 본기의 기록에 근거하여 921년 12월(음), 또는

---

82) 『중문위키백과』 '遼州 (遼寧)'

83) 《遼史》 卷三十七志第七 地理志一 上京道 : 遂州。本高州地, 商王府五帳放牧於此。在檀州西二百里, 西北至上京一千里。戶五百。

84) 『중문위키백과』 '檀州 (遼朝)'

85) 『중문위키백과』 '順州 (遼朝)'

그 이전에 설치됐음을 추정할 수 있음. 중국 사학계는 921년의 심주와 요 태종이 설치한 심주를 동일시하여 현 심양시 중심가에 비정하고 있음.

그 위치를 알 수 없는 동평군과 심주를 제외하고는 모두 요하(遼河)의 서쪽에 위치하고 있다. 본 연구자는 앞서 《요사》 태조 본기 911년 1월 11일 기사를 분석하여 당시 거란 영역의 동쪽 한계가 '요하'였음을 밝혔다. 또한 《요사》 태조 본기 924년 5월의, 발해가 거란의 요주(遼州)를 공격한 사실을 전한 기사와 《거란국지》·《자치통감》·《오대회요》·《구오대사》 등이 기술한 924년 7월의, 거란에 의해 '발해의 요동(渤海之遼東)' 공격 기사 분석을 통해서 924년까지 거란이 요하의 동쪽 지역을 차지하지 못 한 사실을 밝혔다. 따라서 동평군은 물론 심주(추정 주명 '계주') 역시 요하의 서쪽에 자리했음이 자명하다. 921년의 심주는 대체 요하 서쪽의 어디쯤에 있었을까?

본 연구자는 《요사》 지리지 동경도가 기술한 여러 주(州) 가운데에 '한주(韓州)'를 주목했다. 지리지 동경도 한주 조는 요 태종이 설치한 삼하주(三河州)와 유하주(楡河州)를 요 성종(聖宗)이 병합하여 설치한 것이 한주(韓州)라고 기술[86]하였다. 한편 지리지 동경도의 심주(沈州) 조에 따르면, 심주는 요 태종이 발해 정리부 반주(潘州)와 기존에 있던, 계주(薊州)에서 붙잡아 온 한인(漢人)으로 구성하여 만든 삼하현(三河縣)·어양현(漁陽縣)을 합쳐서 건립하였다. 주(州)가 현(縣)으로 강등되거나 반대로 현이 주로 승격되는 사례가 역사시대에 비일비재하고, 926년 발해 멸망을 전후한

86) 《遼史》 卷三十八 志第八 地理志二 東京道 韓州 : 韓州, 東平軍, 下, 刺史。本稿離國舊治柳河縣。高麗置鄚頡府, 都督鄚、頡二州。渤海因之。今廢。太宗置三河、楡河二州。聖宗並二州置。隸延昌宮, 兵事屬北女直兵馬司。統縣一 : 柳河縣。本渤海粵喜縣地, 並萬安縣置。

시기에 요하(遼河)를 좌우하여 거란이 설치한 행정지가 극히 적었던 사실에서 한주(韓州)를 구성한 삼하주(三河州)와 심주(沈州)를 구성한 삼하현(三河縣)은 서로 관련돼 있을 것이라고 본 것이다.

《무경총요》 북번지리(北蕃地理) 한주(韓州) 조는 다음과 같이 기술하고 있다.

> **한주(韓州). 삼한(三韓)의 땅(地)에 있으며, 본래(本)의 주(州)는 바다(海) 서북변(西北邊)의 마을(邑)이었는데 옛날(舊)에는 3 개의 주(三州)가 있었으나 거란(契丹)이 병합하여(並) 한주(韓州)로 만들었다. 동북쪽(東北)으로 생여진 지역(生女真界)이 있으며, 서북쪽(西北)으로는 혜주(惠州)까지 90 리(九十里), 서쪽(西)으로 요하(遼河)까지 60 리(六十里), 남쪽(南)으로 통주(通)까지 80 리(八十里)이다.**[87]

"옛날(舊)에는 3 개의 주(三州)가 있었으나 거란(契丹)이 병합하여(並) 한주(韓州)로 만들었다."에서 '3 개의 주(三州)'는 편찬 과정에서 발생한, 三河楡河二州, 또는 三河州의 오기(誤記)로 판단된다. 즉 《요사》 지리지 한주 조와 교차하여 보면 "옛날에는 '삼하주(와 유하주 2 주)'가 있었으나 거란이 병합하여 한주로 만들었다."가 애초에 기술하고자 한 정보인 것이다.

《무경총요》 북번지리 한주 조에서 특히 주목되는 부분은 "본래(本)의 주(州)는 바다(海) 서북변(西北邊)의 마을(邑)이었다."한 기술이다. 《무경총요》가 편찬될 당시(11세기 초중반)에는 한주가 요하 동쪽 60 리에 있었는데, 본래는 그 위치가 아니라 '바다(海) 서북변(西北邊)의 마을(邑)'이었다는 것이다. 여기서 '바다(海)'는

---

87) 《武經總要》 前集 邊防一下 北蕃地理 : 韓州, 在三韓之地, 本州海西北邊之邑, 舊有三州, 契丹並為韓州。東北至生女真界, 西北至惠州九十里, 西至遼河六十里, 南至通八十里。

바다가 아니라 '요하(遼河)'를 뜻하는 것으로 추정된다. 그렇다면 한주가 삼하주였을 당시에는 요하의 서북쪽에 위치하고 있었던 것이 된다.

그런데 이러한 의문어린 추정은 12세기, 금(金)에서 관리를 지낸 계주 옥전현 출신의 한인(漢人) 왕적(王寂)이라는 인물이 제점요동로형옥(提點遼東路刑獄)의 업무를 지시 받고서 금 장종 명창(明昌) 원년(1190) 2월 병신일(丙申)부터 4월 경인일(庚寅)까지 요동(遼東)의 각 지역(部)을 돌아보면서 남긴 일종의 업무 일기인 《요동행부지(遼東行部志)》로써 해결이 되었다. 해당 기술을 살펴보자.

> **한주(韓州). 요(遼) 성종(聖宗) 때에 삼하주(三河州)와 유하주(楡河州)를 병합하여 한주(韓州)를 만들었다. 삼하주(三河州)는 본래 연(燕, 현 하북지역)의 삼하현(三河縣, 계주 삼하현)으로 요(遼) 태조(祖)가 그 주민을 약탈하여 이곳에 주를 설치한 까닭에 그 옛 이름이 삼하주가 된 것이다. 성(城)으로 고쳤는데 요수(遼水)의 옆(側)에 있었다. 항상(常) 모랫바람(風沙)에 고통을 겪다가 백탑새(白塔寨, 백탑채)로 옮겼는데 그후에 요수(遼水)가 침범하여서 지금의 유하현(柳河縣)으로 옮겼다. 다시, 그 자리가 교통에 편리한 곳이 아니어서 옛 구백해영(九百奚營), 즉 지금의 치소로 옮겼다.[88]**

《요사》 지리지 한주 조가 "요 태종이 설치한 삼하주(三河州)와 유하주(楡河州)를 요 성종(聖宗)이 병합하여 설치"했다고 기술한 것과 달리 왕적은 《요동행부지》에서 "삼하주(三河州)는 본래 연(燕, 현 하북지역)의 삼하현(三河縣, 계주 삼하현)으로 요(遼) 태

88) 《遼東行部志》: 韓州遼聖宗時併三河楡河二州為韓州三河本燕之三河縣遼祖掠其民於此置州故因其舊名而改城在遼水之側常苦風沙移於白塔寨後為遼水所侵移於今柳河縣又以州非衝涂即徙於舊九百奚營即今所治是也

조(祖)가 그 주민을 약탈하여 이곳에 주를 설치한 까닭에 그 옛 이름이 삼하주가 된 것"이라고 적고 있다. 즉 한주를 구성한 최초의 근거인 삼하주를 설치한 주체가 요 태조이며, 태조가 계주 삼하현에서 주민을 약탈해와서 주를 설치한 까닭에 그 주명을 삼하주로 삼았다는 설명이다. 요 태조 야율아보기가 계주 삼하현의 백성을 약탈해서 거란의 내지(內地)로 옮긴 때는《요사》태조 본기에 따르면 921년(신책 6년) 11월이다.

왕적은《요동행부지》에서 또한 "(삼하주가) 본래 요수(遼水)의 옆(側)에 있었는대 항상(常) 모랫바람(風沙)에 고통을 겪다가 백탑새(白塔寨)로 옮겼고, 그 후에 요수(遼水)가 침범하여서 지금의 유하현(柳河縣)으로 옮겼다."고 했다. 삼하주를 유하현으로 옮긴 때가 바로 요 성종이 삼하주와 유하주를 병합하여 한주(韓州)를 만든 시기로 보인다. "(유하현) 자리가 교통에 편리한 곳이 아니어서 (다시) 옛 구백해영(九百奚營), 즉 지금의 치소로 옮겼다."한 시기는《금사》지리지 한주 조에서 "옛날에 영(營)이 있었다."한 기술[89]로 볼 때에 금(金)나라 초기로 판단된다.

중국의 역사학자 단일평(段一平)은 1979년에 『한주사치삼천고(韓州四治三遷考)』라는 심층연구서를 완성하여서 그 한주 이치(移置) 연혁에서의 네 곳의 장소를 고증하였는데, 첫 번째 치소는 통요시(通遼市) 커얼친좌익후기(科爾沁左翼後旗) 성오가자고성(城五家子古城), 두 번째 치소는 백탑채(白塔寨)로서 요하의 범람으로 인해 유실[90], 세 번째 치소는 철령시 창도현(昌圖縣) 팔면성(八面

---

89)《金史》志第五 地理上 : 韓州, 下, 刺史。遼置東平軍, 本渤海鄚頡府。戶一萬五千四百 十二。舊有營。縣二 : 臨津倚, 未詳何年置。柳河本渤海粵喜縣地, 遼以河為名。有狗河、柳河。

90)『바이두백과』'韓州' 조는 백탑채의 위치를 창도현 삼강구진(三江口镇) 부근에 비정하고 있다.

城), 옛 구백해영(九百奚營) 자리였던 네 번째 치소는 사평시(四平市) 리수현(梨樹縣) 편검성(偏臉城)이다.[91]

첫 번째 치소가 있던 통요시(通遼市) 커얼친좌익후기(科爾沁左翼後旗) 성오가자고성(城五家子古城)은 구체적으로 커얼친좌익후기 사일소진(查日蘇鎮) 성오가자알사촌(城五家子嘎查村)[92] 남쪽 500 미터[93], 요하 서쪽 45km[94][95]에 위치하며, 이곳에서 요하 건너 거의 정동(正東)쪽에, 요(遼) 성종(聖宗) 대 이후 한주가 위치했던 창도현 팔면성진이 자리하고 있다. 이 커얼친좌익후기 성오가자알사촌의 최초 한주성 유적은 2013년 5월에 중국 국무원(国务院)으로부터 7차 국가중점문화재보호단위(第七批国家重点文物保护单位)로 확정돼 보호를 받고 있다.[96]

요 태조가 하북지역에서 주민을 약탈하여 훗날 동경도(東京道) 관할이 되는 요하 부근에 설치한 주·현(州縣)이 모두 요하의 서쪽에 위치했던 사실, 《요사》 태조 본기 911년 1월 기사에 나타난 당

---

91) 『중문위키백과』 '韓州城遺址', 중국 통요일보사(通辽日报社) 통요신문망(通辽新闻网) 2010년 6월 21일자 「通辽市汉代县城、辽代市镇、金代边堡等」 기사, 중국 통요일보사(通辽日报社) 2014년 3월 14일 지면판(紙面版) 「科左后旗韩州城遗址 (下)」 기사

92) 사일소진 서쪽 달음탑반격일알사촌(达音塔班格日嘎查村)으로 판단된다.

93) 중국 통요일보사(通辽日报社) 통요신문망(通辽新闻网) 2010년 6월 21일자 「通辽市汉代县城、辽代市镇、金代边堡等」 기사에 따르면 300 미터

94) 중국 통요일보사(通辽日报社) 통요신문망(通辽新闻网) 2010년 6월 21일자 「通辽市汉代县城、辽代市镇、金代边堡等」 기사

95) 중국 통요일보사(通辽日报社) 2014년 3월 14일 지면판(紙面版) 「科左后旗韩州城遗址 (下)」 기사에 따르면 40km

96) 이로써 《무경총요》 북번지리 한주 조의 "본래(本)의 주(州)는 바다(海) 서북변(西北邊)의 마을(邑)이었다."한 기술에서 바다(海)는 본 연구자가 추정한대로 '요하(遼河)'를 뜻함이 분명하다.

시 거란의 영역에서 '해(海)'로 표현된 그 동쪽 한계가 요하였던 사실, 요하 서쪽, 현 신민시에 있었던 요주(遼州)가 924년에 발해에 의해 공격당한 사실, 발해 멸망 전 요동은 요하를 사이에 두고서 거란의 요동과 발해의 요동이 병존해 있었고, 거란은 발해의 요동에 해당하는 요하 동쪽 지역을 수차례 공격하였음에도 불구하고 924년까지 빼앗지 못 하였다는 사실 등을 종합하여 고려할 때에 《요사》 태조 본기 921년(신책 6년) 12월 을묘일 기사에서 '瀋州'로 지칭된 주명 미상의 주(薊州로 추정)와, 지리지 동경도 심주(沈州) 조에서 요 태종이 발해 정리부 반주(潘州)를 현 심양시로 옮겨와서 심주(瀋州)를 만들면서 속현(屬縣)으로 삼은 삼하현(三河縣)과 어양현(漁陽縣)은 요하의 서쪽의 모처에 존재하였다고 판단할 수 있다. 특히 커얼친 좌익후기 사일소진 성오가자촌 남쪽에 처음 위치해 있던 삼하주(三河州)가 그 실체이거나, 또는 밀접한 관련성이 있다고 판단할 수 있다.

따라서 《요사》 태조 본기 921년 12월 을묘일 기사에 심주(瀋州)가 언급된 사실을 근거하여서 이 시기에 거란이 이미 현 요하 동쪽 심양 일대를 차지하고 있었다는 주장은 성립할 수 없다.

「진만묘지(陳萬墓誌)」로 본 발해 멸망 전 요동

국내 역사학계에서, 거란이 발해 멸망 직전 요동(요좌)에서 발해 서경압록부를 공격하여 큰 소요(騷擾)를 일으켜서 발해의 주력군을 요동과 압록부 지역에 묶어둠으로써, 즉 성동격서(聲東擊西) 전략으로써 빠른 시간 안에 부여성과 홀한성을 함락시킬 수 있었다 하는 논리의 근거로 「진만묘지(陳萬墓誌)」가 사용되는 것[97]이 관찰되고, 이러한 논리가 "거란은 발해 멸망 전에 이미 현 요하의 동쪽 지역을 차지하고 있었다."하는 식의 주장으로 발전할 가능성이 엿보이는 까닭에 그 시비(是非)를 따지고자 이 글을 연구에 더하여 붙인다.

본 연구자는 2019년에 비교적 대단위 연구인 『발해 건국의 전말』, 『발해 멸망의 전말』, 『발해 강역의 실상』, 『요 동경도 연구』 등을 수행하였는데 미진(未盡)한 부분을 보완하고자 추가 연구를 진행하던 과정에서 중국의 한 역사 관련 블로그에서 「진만묘지(陳萬墓誌)」의 존재를 우연히 처음 접하게 되었다. 그 블로그의 해당 포스트[98]에 기술된 내용은 다음과 같다.

---

97) 권은주 「발해사 연구, 금석문과 만나다」 "발해의 전력을 계속 요동방면에 묶어 둠으로써, 거란은 부여부를 통해 빠른 시간 안에 상경성 함락까지 성공할 수 있었던 것이 아닌가 한다. 즉 전쟁은 925년 12월 이전에 시작되었던 것이다.(『복현사림』 34권, 2016, p.37)", 강성봉 「발해(渤海)-거란(契丹) 전쟁의 발생배경과 전개과정」 "진만묘지를 통해서 알 수 있듯이 압록부의 신주 등을 공격하면서 발해의 주력군을 압록부와 장령부에 묶어 둔 뒤 부여부를 통한 상경직공책으로 발해를 멸망시킨 것으로 보인다.(『韓國史硏究』 193집 p.64, 2021)"

98) 해당 포스트의 주소는 http://lihaonan1983.blog.sohu.com/1054603.html 인데, 현재 해당 블로그는 비공개로 전환돼 있다. 해당 포스트는 「读辽代石刻及辽史笔记（下）」 라는 제목으로 2006년 2월 25일 13시 49분에 해당 블로그에 게시되었다.

(八) 辽代汉人之武功

对于现在的辽史，缺点之一就是汉族的人物立传太少，以致有人认为辽朝就是契丹人的朝代，而忽视了"一国两制"的一面，这次阅读《辽代石刻文编》，发现了一些辽代汉族人物的事迹，有些人在《辽史》中不过出现一二次而已。这次特别挑出一些与辽朝军事行动有关的汉族人物来介绍一下。

应历五年的《陈万墓志》："年卌五，从皇帝（太祖）东*渤海国，当年收下。年卌七，又从嗣圣皇帝（即辽太宗，时为皇子大元帅）伐神欢（即桓州）二州，当年又下。"

(하략)

이 글을 접한 후에 「진만묘지(陳萬墓誌)」의 전모(全貌)를 파악하고자 애쓰면서 이 묘지가 요녕성 부신시 창무현(彰武县) 경내(境内)에서 발견[99]되었다는 사실을 알게 됐으며, 중국 역사학자 도흥지(都兴智)가 저술한 『东丹史(동단사)』[100]에 「진만묘지(陳萬墓誌)」의 내용이 수록돼 있는 것을 알게 되었다. 『东丹史(동단사)』의 해당 내용은 다음과 같다.

《辽陈万墓志》记, 墓主 陈万年四十五, "从皇帝东口渤海,当年收下。" 年四十七, "又从 嗣圣皇帝伐神、欢二州,当年又下。所谓神、欢二州,是指 渤海的神州和桓州, "欢"为桓字之误。神州治所在今吉林省临江 市,桓州在今吉林集安市。陈万死于辽应历五年(954), 寿七十七。

최초 중국의 한 역사 블로그에서 사실을 접한 까닭에 사료로서 활용하기가 주저되었는데 중국학자의 공식 저술에서 동일한 내용을 확인함에 따라 연구에 활용할 수 있었다. 다만 도흥지가 "陈万

99) 『辽代书法与墓志』 罗春政 著, 2002年 辽宁画报出版社 刊
100) 中国 社会科学出版社 2019年 刊

死于辽应历五年(954), 寿七十七。"라고 서술한 부분에서 应历五年(응력 5년)은 954년이 아니라 955년이다.

이어서 국내 학계에서 「진만묘지(陳萬墓誌)」를 다뤘는지 여부를 찾아보았는데 권은주[101]가 「발해사 연구, 금석문과 만나다」[102]라는 논문에서 다룬 것을 발견[103]했다. 권은주는 「진만묘지(陳萬墓誌)」의 年卌五 기록과 年卌七 기록을 활용하여, 발해 멸망 전 요동 지역에서의 거란과 발해의 각축(角逐)을 분석하였다. 논문의 해당 구절은 다음과 같다.

> 진만의 묘지명은 통화 27년(1009)에 무덤을 옮기면서 만들어졌다. 그는 원래 한족(漢族)으로 거란에 투항하여 고국구상공(故國舅相公: 蘇阿古只로 추정)을 따라 군사 활동을 하였다. 묘지명에 따르면 나이 45세(923)에 황제(아보기, 요태조)를 따라 발해를 공격하였고, 47세(925)에 사성(嗣聖)황제(요골, 요태종)를 따라 신주(神州)와 환주(歡州) 2주를 공격하였다. 이는 기존 사서에 나오지 않는 내용인데, 그 시점이 주목을 끈다. 두 사건이 벌어졌던 923년과 925년 사이인 924년은 거란이 요주(요양고성)에 계주(북경 인근)민을 사거시킨 조치에 대해 발해의 공격이 이루어졌던 해다. 발해가 거란의 요동진출에 대응한 기록이 유일하게 남아 있는 해이다.

곧 이어서 본 연구자는 「진만묘지(陳萬墓誌)」의 전문이 수록된 『辽代石刻文编(요대석각문편)』[104]을 입수하였고, 이를 발해사 및

---

101) 경북대학교 사학과 BK 연구교수

102) 『복현사림』 34권, 2016, 21~44.p

103) 『고려 전기 서북계 연구』를 완료(2020년)하고 출간을 위한 원고 작업을 진행하던 중인 2022년에 「진만묘지(陳萬墓誌)」를 다룬 또 다른 국내학자 강성봉(성북문화원사무국장)의 논문 「발해(渤海)-거란(契丹) 전쟁의 발생배경과 전개과정(『韓國史研究』 193집 p.43~77, 2021년 6월 간행)」을 접하였다.

104) 『辽代石刻文编』 向南 著, 1995, 河北教育出版社 刊

고려 전기 서북계 연구의 귀중한 사료로서 활용하게 되었다.

「진만묘지(陳萬墓誌)」에서 발해 멸망 과정과 멸망 전 현 요하 좌우의 각축에 대한 정보와 관련된 기록[105]은 다음과 같다.

> **(상략)**
> 年卌五, 從皇帝東〇渤海國,當年收下。年卌七, 又從 嗣聖皇帝伐神歡二州, 當年又下。
> **(중략)**
> 年七十七, 于應曆五年六月七日薨, 權厝在堂, 至 年十月九日大葬于豪州西南, 禮也。
> **(하략)**

진만은 응력(應曆) 5년, 즉 955년 6월 7일에 77세로 사망했으니 45세(年卌五[106])가 되던 해는 923년이고, 47세 되던 해는 925년이다. 즉 진만은 45세 되던 923년에 요 태조가 동쪽으로 발해를 공격할 때에 참전하고, 47세 되던 925년에 요 태종이 발해의 신주·환주를 공격할 때에 참전한 것이다.

923년(천찬 2년)과 925년(천찬 4년)의, 거란의 발해 공격은 대원정(大遠征)을 단행하는 925년 12월을 제하고 《요사》에 누락돼 있다. 그런데 924년 7월에 발생한 거란의 발해 공격을 923년의 일로 기술한 《거란국지》와 925년의 일로 기록한 《구오대사》의 사례가 있으므로 「진만묘지」의 年卌五와 年卌七 역시 비명(碑銘)을 적은 자의 기년(紀年) 착오 가능성을 의심할 필요가 있다.

「진만묘지」는 923년에 묘주 진만이 야율아보기를 따라서 발해 공격에 참진하여 빌해를 깨드리서 일징한 싱과를 거두있다(收下)

105) 『辽代石刻文编』 向南 著, 1995, 河北教育出版社 刊, p.15~16
106) 卄(스물 입), 卅(서른 삽), 卌(마흔 십)

고 기술하였는데 이것이 '발해의 요동(渤海之遼東)'을 빼앗는 성과로까지 연결되지 못 한 것으로 보인다. 왜냐하면 그 이듬해인 924년 5월에 발해가 요하 서쪽, 현 신민시 일대에 있었던 거란의 요주(遼州)를 공격하여 자사(刺史)를 죽이고 백성을 빼앗아 갔고, 그 두 달 뒤인 7월에 거란이 '발해의 요동'을 대대적으로 공격했으나 《자치통감》 924년 8월 계묘(癸卯)일 기사[107]에 따르면 "거란이 발해를 공격했으나 아무런 성과 없이 퇴각"했기 때문이다.

925년 12월부터 926년 2월까지 발해의 부여성과 홀한성이 기이할 정도로 쉽게 함락된 까닭에 발해의 주력군을 요동 방면에 집중되게 하여 발해로 하여금 부여성 방면의 방비에 신경을 쓰지 못하게 하였을 것이다 하는 추정이 '발해내분설'과 함께 일반적이었는데 「진만묘지(陳萬墓誌)」의 925년 발해 신주(神州)와 환주(桓州) 공격 기사는 이러한 추정을 사실화 하고 있다. 신주와 환주는 발해 서경압록부(西京鴨綠府)에 속한 주(州)인데 「진만묘지(陳萬墓誌)」는 묘주 진만이 사성황제(嗣聖皇帝), 즉 요 태종을 따라서 이들 두 주를 공격하여 깨트렸다고 기술하였다. 下는 일반적으로 "함락시켰다"로 해석할 수 있다. 그런데 묘지의 下는 과장된 수사(修辭)로 보인다. 왜냐하면 서경압록부는 발해가 멸망하고, 요 태조 야율아보기가 죽은 926년 7월까지도 비교적 건재(健在)했던 것으로 판단되기 때문이다.

《오대회요》 발해전은 "아보기가 죽어서 일어나지 않자 발해왕(대인선)이 그 동생에게 명하여 군사를 거느리고 부여성을 공격하라 하였으나 함락시키지 못 하고는 무리를 이끌고 퇴각하였다."[108]라고 적었고, 《요사》 아고지전은 "도적(발해)의 7천 기병이

107) 《資治通鑑》 卷二百七十三 : (同光二年 九月 癸卯) 契丹攻渤海, 無功而還。

압록부로부터 구원하러 왔는데 기세가 아주 사나웠다. 아고지 휘하의 군사들은 연마된 정예들이어서 한 차례의 전투로 그 예봉을 꺾고 승리하여 빰을 3천여 급을 베었고, 군사를 몰고 가서 회발성[109]을 깨트렸다."[110]라고 적었다. 뿐만 아니라 사학계 통설에서 발해 서경압록부로 비정하고 있는, 집안시(集安市)와 임강시(臨江市)를 중심한 길림성 통화시(通化市)와 백산시(白山市) 일대는 한동안 발해 유민이 세운 정안국(定安國)의 영역이었다. 정안국의 해당 지역 비정 역시 사학계 통설에 의한 것이다. 더구나 아고지가 발해 서경압록부 군대를 깨트린 곳은 그 북쪽의, 휘발하(輝發河) 유역에 있던 회발성(回跋城)이지 않은가.

한편으로 「진만묘지」의 年卌五와 年卌七이 비명 작성자의 기년 착오에 따른 것으로서, 실제는 年卌六과 年卌八이거나 年卌五와 年卌七이 각각 923년과 925년이 아닌 924년과 926년을 뜻한 것으로 볼 수 있는데, 이는 그대로 924년 7월의, 거란의 발해 요동 공격 사실, 그리고 926년 여름 경의, 거란의 발해 서경압록부 공격 사실과 합치한다. 따라서 본인은 이쪽에 무게를 두고자 한다.

이상 「진만묘지(陳萬墓誌)」를 '요동'과 '시기'의 측면에서 검토하였다. 그 결과, 이 사료는 919년에 요양고성 자리에 설치된 동평군이 과연 요하 동쪽, 사학계 비정지인 현 요양시 백탑구에 있었는가 하는 사실여부를 따지는 데에 하등(何等) 무관하며, 오히려

---

108) 《五代會要》 卷三十 渤海 : (天成元年七月) 未幾阿保機死渤海王命其弟率兵攻扶餘城不能克保衆而退

109) 현 길림성 통화시(通化市) 휘남(輝南縣) 휘발성輝發城)에 비정돼 있다 (동북아역사넷 『고구려문화유산자료』

110) 《遼史》 卷六十五 列傳第三 阿古只 : 會賊游騎七千自鴨綠府來援, 勢張甚。阿古只帥麾下精銳, 直犯其鋒, 一戰克之, 斬馘三千餘, 遂進軍破回跋城。

924년까지 거란이 요하의 동쪽을 차지하지 못 하였음을 나타내는 하나의 방증(傍證)으로서 구실할 수 있음이 확인되었다.

거란의 요하 동쪽 진출 시기

거란은 앞에서 살펴본 바대로, 사료에서 확인이 되는 사실 및 그 정황의 한에서 924년까지 요하 동쪽을 차지하지 못 하였다. 그런데 동경은 늦어도 요 성종(聖宗) 태평(太平) 연간(1021~1031) 이후부터 동경도가 금(金)에 완전히 접수된 1117년 이전까지 현 요양시 백탑구 일원에 위치하였음이 여러 사료에 분명하게 나타나 있다. 즉 동경은 '전날의 동경'과 '훗날의 동경'이 그 위치로서 나뉘는 것이다.

그렇다면 이 '훗날의 동경'이 자리했던 현 요양시 백탑구 일대는 언제 거란의 차지가 된 것일까? 이에 대해서 《요사》와 《거란국지》는 다음과 같이 적고 있다.

서명	내용
《요사》	동경은 옛 발해의 땅으로, 태조가 힘껏 싸우길 20여 년 하여 얻었다.[111]
《거란국지》	동경은 발해의 옛 땅으로, 아보기(태조)가 힘껏 싸우길 20여 년 하여 비로소 얻고서 건립하여 동경으로 삼았다.[112]

---

111) 《遼史》 卷二十八 本紀第二十八 天祚皇帝二 : (天慶) 六年春五月丙寅朔, 東京夜有惡少年十餘人, 乘酒執刃, 逾垣入留守府, 問留守蕭保先所在 :「今軍變, 請為備。」蕭保先出, 刺殺之。戶部使大公鼎聞亂, 即攝留守事, 與副留守高清明集奚、漢兵千人, 盡捕其眾, 斬之, 撫定其民。東京故渤海地, 太祖力戰二十餘年乃得之。而蕭保先嚴酷, 渤海苦之, 故有是變。其裨將渤海高永昌僭號, 稱隆基元年。遣蕭乙薛、高興順招之, 不從。

112) 《契丹國志》 卷之十 天祚皇帝上 : (丙中天慶六年 未政和六年) 是春, 天祚募渤海武勇馬軍高永昌等二千人, 屯白草穀, 備御女真。會東京留守太師蕭保先乃奉先堂弟。為政酷虐, 渤海素悍, 有犯法者不恕。東京乃渤海故地, 自阿保機力戰二十餘年始得之, 建為東京。

두 사서 모두 1116년 고영창(高永昌)의 반란 관련 사실을 기술하면서 동경을 언급하였는데, 해당 기술의 '동경(東京)'은 동경도(東京道) 전체가 아니라 동경유수 소보선이 주재(駐在)하였고, 고영창이 중심이 된 발해유민이 소보선을 죽이고 점거하여 반란을 일으킨, 동경도의 치소(治所)로서의 동경을 가리킨다. 즉 현 요양시 백탑구 일대이다. 그런데 두 사서 모두 이 동경에 대해서 기술하길, "본래 발해 땅이었는데 태조가 20여 년 힘껏 싸워서 획득하였다"고 하였다. 태조가 20여 년을 힘껏 싸웠다 할 때의 그 20여 년은 어느 해(年)에 가까울까?

요 태조 야율아보기가 흔덕근(痕德菫, 요련흠덕 遙輦欽德) 가한(可汗)에 의해 본부이리근(本部夷離菫)에 임명[113]되면서 본격적 대외활동을 시작한 해부터 가리킨다면 이 해가 901년(당 소종 천복 원년)이므로, 이때로부터 20여 년은 921년경이 된다. 그러나 앞서 살핀 바대로 거란은 적어도 924년까지 요하의 동쪽을 차지하지 못 하였다.

야율아보기를 문장과 그 문장이 기술한 행위의 주체로 삼고 있다면 야율아보기가 누군가의 신하였을 때가 아니라 그 집단의 우두머리였을 때부터를 뜻할 공산(公算)이 크다. 야율아보기는 906년 12월 흔덕근가한(痕德菫可汗)이 죽자 가한에 추대되었고, 세 번 사양한 후에 승낙[114]하여서 907년 1월에 가한이 되니, 이 해가 가한 1년이다. 따라서 907년을 기점으로 하여 20여 년은 926년으로서, 이 해는 거란이 부여성과 홀한성을 함락하고, 대인선(大諲

113)《遼史》卷一 本紀第一 太祖上 : 唐天復元年, 歳辛酉, 痕德菫可汗立, 以太祖為本部夷離菫, 專征討, 連破室韋、于厥及奚帥轄剌哥, 俘獲甚眾。

114)《遼史》卷一 本紀第一 太祖上 : 十二月, 痕德菫可汗殂, 群臣奉遺命請立太祖。曷魯等勸進。太祖三讓, 從之。

譔)을 굴복시킴으로써 발해를 멸망시킨 해이다.

결국 《요사》와 《거란국지》가 공히 1116년(천조제 천경 6년) 조에서 기술한, 동경 획득 20여 년에 해당하는 해는 바로 발해가 멸망한 926년이다. 발해 땅이었던 '훗날의 동경' 지역이 926년에 비로소 거란 땅이 되었던 것이다.

정리

909년 야율아보기가 요동을 방문한 일과 919년 요양고성을 수리해서 동평군을 설치한 일을 중심으로, 903년 이후, 926년 이전 요하 좌우 지역에서의 거란의 동향, 특히 발해와의 일련의 각축(角逐)을 분석하여서 거란이 발해 멸망 이전에 이미 요하의 동쪽 지역을 차지하고 행정지를 설치하여 운영했는가 하는 여부, 그리고 919년에 설치된 동평군이 사학계 비정대로 과연 현 요양시 백탑구에 존재할 수 있었는가 하는 여부를 따졌다. 이로써 적어도 924년까지 거란은 요하 동쪽을 빼앗지 못 하였다는 사실, 따라서 그 당시 동평군이 현 요양시 백탑구에 위치할 수 없었다는 사실을 밝혔다. 이상의 고찰 결과를 정리하면 다음과 같다.

첫째, 909년에 야율아보기가 遼東을 방문하였으나 911년 당시 거란 영역의 동쪽 한계는 遼河였다. 따라서 야율아보기가 방문한 요동은 요하의 동쪽 지역이 될 수 없다.

둘째, 발해 멸망 이전, 요 태조 대에 건립된 요주(遼州), 순주(順州), 기주(祺州), 삼하주(三河州)는 모두 요하의 서쪽에 위치했다. 이는 《요사》 태조 본기·지리지, 《무경총요》 북번지리 등이 기술한, 오대(五代) 시기 거란의 영역에서 그 동쪽 한계가 遼河였던 사실에 부합한다.

셋째, 심주(瀋州)는 《요사》 태조 본기 921년 12월 기사에 처음 등장하지만 지리지 동경도 심주 조를 분석한 결과 심주는 요 태종(재위 927~947)이 발해 정리부 반주(潘州)와 그 백성을 교치·사민해 와서 기존에 있던, 계주(薊州)에서 약탈해 온 한인(漢人)으로써 건립한 삼하현(三河縣)과 어양현(漁陽縣)을 편입시킴으로써 처음 설립됐다. 따라서 태조 본기의 해당 기사에 언급된 瀋州는《요사》 편찬과정에서 소급된 지명이거나 본래의 주명인 薊州의 오기일 개연성이 크다.

넷째, 요 태종 대에 심주를 구성한 삼하현(三河縣)과 어양현(漁陽縣)은 요 태조가 건립한 삼하주(三河州)를 연원으로 했을 개연성이 있다. 또한 924년에 요주(遼州)로 이거(移居)됐던 계주(薊州)의 한인들이 그 주민 구성에 포함되었을 개연성이 고려된다.

다섯째, 요 태조는 918년에 요양고성(遼陽故城)을 방문하고, 그 이듬해인 919년에 이 성을 수리해서 동평군(東平郡)을 설치하였다. 사학계는 이 동평군의 위치를 현 요양시 백탑구에 비정하고 있다. 이 위치는 소택지·요하·혼하·태자하에 의해 그 서쪽의 기존 기존 영역과 강하게 분리·고립된 지역이다. 이 위치에 동평군을 건립하여 주변을 관할하여 운영하기 위해서는 요하의 좌우를 이어주는 회랑(回廊)에 해당하는 현 철령시·심양시 일대를 확고하게 장악하고 있어야 한다. 그러나 거란은 동평군이 설치된 그 5년 후인 924년 5월에 현 심양시의 현급시인 신민시 일대에 있던 요주(遼州)가 발해에 의해 공격당하여서 자사(刺史)가 살해되고, 백성이 약탈되는 큰 피해를 입었다. 이 사실은 요주가 있던 신민시의 동쪽, 현 심양시 관할지에서 요하의 동안(東岸)에 해당하는 지대를 굳건히 차지하고 있었음을 반증한다. 거란은 그 두 달 후인 7월에 '渤海之遼東'을 대대적으로 공격하였으나 아무런 성과 없이 9월에 퇴각했다. 즉 거란은 924년까지도 요하의 동쪽 지역을 차지하지 못 하고 있었다.

이러한 사실을 종합하여 볼 때에 요양고성(遼陽故城)뿐만 아니라 그 자리에 설치된 동평군(東平郡)은 사학계 비정지인 현 요양시 백탑구에 설치될 수도 존재할 수도 없다. 설사 918~919 시기에 거란이 이곳을 한시적으로 차지하여 동평군을 설치했다 하더라도 발해와 계속하여 각축을 벌이는 상황이었으므로 유지할 수 없었다. 그런데 이 당시에 동평군이 발해의 공격을 받았다거나 이리저리 옮겨 다녔다거나 설치·재설치를 반복했다 하는 기록과 방증은 그 어디에도 없다. 이는 동평군이 비교적 발해의 공격에서 안정한 지역에서 꾸준히 유지됐음을 시사한다.

요하 부근에서, 발해에 가까이 있으면서도 발해의 공격과 저항에서 안전한 곳은 어디일까? 가장 적합한 위치는 현 요양시와 공간적 데칼코마니(décalcomanie) 꼴을 띤, 남쪽으로는 바다, 동쪽으로는 요하와 소택지가 수백 리의 천연 해자(垓字)를 이루고 있는 의무려산(醫巫閭山) 기슭의 북진시(北鎭市) 일대이다.

동평군(東平郡)은 (927년~)928년에 동단국민(東丹國民)이 이곳에 이거(移居)돼 오고, 동단국 천복성(天福城)이 이치(移置)된 후에 요 태종에 의해 남경(南京)으로 승격되었다. 석경당(石敬瑭)에게서 연운16주(燕雲十六州)를 할양 받고서 그 지역에 남경석진부(南京析津府)를 편성하면서 기존 남경은 같은 해 938년에 동경(東京)으로 개칭되었다. 사학계는 '요양고성-동평군-남경-동경'이 모두 한 자리로서, 현 요양시 백탑구(白塔區)에 있었다고 인식하고 있으나 동평군이 당시에 현 요양시 백탑구에 존재했다 하는 증거는 없고, 오히려 존재할 수 없었다 하는 정황(情況)이 여실(如實)하다. 따라서 그 자리에 들어선 동경 또한 요양시 백탑구에 위치할 수 없는 것이 자명[115]하다.

---

115) 애초에 동단국민이 사민된 곳이 동평군이 아니고, 또한 928년에 요 태종이 남경으로 승격시킨 동평군이 단지 기록상의 오기라 한다면 기존의 동평군과 동경이 다른 곳에 병존할 수 있다. 그러나 모든 기록이 "요양고성 - 동평군 - 남경 - 동경"으로 동경의 연혁을 서술하고 있다.

요양(遼陽)으로 본 동경의 위치

도입

《요사》가 곳곳에서 기술한 동경(東京)의 연혁은 대체로 "요양(遼陽)에 있던 옛 성(故城)을 수리해서 동평군(東平郡)을 만들고 방어사(防禦使)를 설치했는데, 이곳에 동단국민(東丹國民)이 옮겨와 살게 되면서 남경(南京)으로 승격됐다가 다시 동경(東京)으로 이름이 바뀌었다"하는 것이다. 이러한 사실은 특히 《요사》 지리지 동경도 동경요양부 조에 잘 정리돼 있다.

시기	《요사》 권38 지리지2 동경도
신책(神冊) 4년(919)	요양(遼陽)의 옛 성을 수리하고, 발해와 한인으로 동평군(東平郡)을 만들어 방어주(防禦州)로 삼았다.[1]
천현(天顯) 3년(928)	동단국민(東丹國民)을 동평군에 옮겨 살게 하고, 남경(南京)으로 승격시켰다.[2]
천현(天顯) 13년(938)	남경을 동경(東京)으로 고쳤는데, 부(府)는 요양이라고 하였다.[3]

이러한 동경의 연혁은 《요사》 이래 요·금대의 동경요양부 지역사를 다룬 송·원·명·청대 문헌사료에서 일관하여 일치하며, 그 위치에 대해서 한·중 사학계는 별다른 의심 없이 요양고성(遼陽故城)을 수리해서 동평군(東平郡)을 만든 때부터 줄곧 현 요녕성 요

1) 《遼史》 卷三十八志第八 地理志二 東京道 : 神冊四年, 葺遼陽故城, 以渤海、漢戶建東平郡, 為防禦州。

2) 《遼史》 卷三十八志第八 地理志二 東京道 : 天顯三年, 遷東丹國民居之, 升為南京。

3) 《遼史》 卷三十八志第八 地理志二 東京道 : 天顯十三年, 改南京為東京, 府曰遼陽。

양시 백탑구(白塔區)에 고정불변하였다고 설명하고 있다.

그런데 정작 《요사》 지리지 동경도의 동경요양부 직속 제현(諸縣)의 기술은 이를 의도하지 않게 스스로 부정하고 있다. 동경요양부에 직속된 9곳의 현(縣) 그 어느 곳의 서술도 요양(遼陽)이든 요양고성(遼陽故城)이든 동평군(東平郡)이든 동경의 이왕(已往)의 연혁에 대해서 그 어떠한 언급도 하지 않았으며 오히려 무관한 연혁을 적고 있는 것이다.

현명	기사
요양현(遼陽縣)	본래 발해국(渤海國) 금덕현(金德縣)이다. 전한(漢)의 (낙랑군) 파수현(壩水縣, 패수현)인데 고구려(高麗)가 구려현(勾麗縣)으로 고쳤고, 발해가 상락현(常樂縣)으로 만들었다.4)
선향현(仙鄉縣)	본래 전한(漢)의 (요동군) 요대현(遼隊縣, 요수현)인데 발해가 영풍현(永豐縣)으로 만들었다.5)
학야현(鶴野縣)	본래 전한(漢)의 (요동군) 거취현(居就縣) 땅인데, 발해가 계산현(雞山縣)으로 만들었다.6)
석목현(析木縣)	본래 전한(漢)의 (요동군) 망평현(望平縣)인데 발해가 화산현(花山縣)으로 만들었다.7)
자몽현(紫蒙縣)	본래 전한(漢)의 (낙랑군) 누방현(鏤芳縣) 땅이다. 훗날 불열국(拂涅國)이 동평부(東平府)를 설치하고 몽주(蒙州) 자몽현(紫蒙縣)을 다스렸다. 훗날 요성(遼城)으로 옮겨서 황령현(黃嶺縣)에 편입하였다. 발해가 훗날 자몽현(紫蒙縣)으로 만들었다.8)
흥요현(興遼縣)	본래 전한(漢)의 (요동군) 평곽현(平郭縣) 땅이다. 발해가 장녕현(長寧縣)으로 고쳐 만들었다. 당(唐) 원화(元和, 당 현종, 806~820) 연간에 발해왕(渤海王) 대인수(大仁秀)가 남쪽으로 신라(新羅)를 평정하고, 북쪽으로 여러 부족을 공략할 때에 여러 고을을 설치하면서 지금의 이름이 정해졌다.9)
숙신현(肅慎縣)	발해 민호로써 설치됐다.10)
귀인현(歸仁縣)	기술 내용 없음

순화현 (順化縣)	기술 내용 없음

요양현(遼陽縣)조차도 본래 전한 요동군의 요양현이 아니라 전한 낙랑군의 패수현이었다고 적고 있다. 심지어 전한 요동군 양평현(襄平縣)을 연혁으로 지니는 곳도 전혀 없다. 동단국민이 사민돼 온 까닭에 기존 발해 여러 지역의 연혁이 뒤섞여 들어왔을 개연성을 어느 정도 고려하더라도 9 곳이나 되는 저 많은 속현 가운데에서 단 한 곳도 요양현 관련 연혁을 지닌 곳이 없다는 사실은 매우 괴이(怪異)할 정도이다.

요양(遼陽)은 엉뚱하게도 요하 서쪽에서 관찰된다. 횡주(橫州)와 솔빈현(率賓縣)이 그곳이다.

---

4) 《遼史》 卷三十八志第八 地理志二 東京道 遼陽府 : 遼陽縣。本渤海國金德縣也。漢𣵠水縣, 高麗改為勾麗縣, 渤海為常樂縣。戶一千五百。

5) 《遼史》 卷三十八志第八 地理志二 東京道 遼陽府 : 仙鄉縣。本漢遼隊縣, 渤海為永豐縣《八神仙傳》云 :「仙人白仲理能煉神丹, 點黃金, 以救百姓。」戶一千五百。

6) 《遼史》 卷三十八志第八 地理志二 東京道 遼陽府 : 鶴野縣。本漢居就縣地, 渤海為雞山縣。昔丁令成家此, 去家千年, 化鶴來歸, 集於華表柱, 以咮畫表云 :「有鳥有鳥丁令威, 去家千年今來歸 ; 城郭雖是人民非, 何不學仙塚累累。」戶一千二百。

7) 《遼史》 卷三十八志第八 地理志二 東京道 遼陽府 : 析木縣。本漢望平縣地, 渤海為花山縣。戶一千。

8) 《遼史》 卷三十八志第八 地理志二 東京道 遼陽府 : 紫蒙縣。本漢鏤芳縣地。後拂涅國置東平府, 領蒙州紫蒙縣。後徙遼城, 並入黃嶺縣。渤海後為紫蒙縣。戶一千。

9) 《遼史》 卷三十八志第八 地理志二 東京道 遼陽府 : 興遼縣。本漢平郭縣地, 渤海改為長寧縣。唐元和中, 渤海王大仁秀南定新羅, 北略諸部, 開置群邑, 遂定今名。戶一千。

10) 《遼史》 卷三十八志第八 地理志二 東京道 遼陽府 : 肅慎縣。以渤海戶置。

횡주(橫州)

횡주(橫州)는 동경도에 속한 것이 아니라 두하군주(頭下軍州)[11]에 분류된 주(州)이다. 《요사》 지리지에 기술돼 있는 횡주 정보[12]와 그 비정지는 다음과 같다.

지명	분류	정보	비정지
횡주	두하군주	국구(國舅) 소극충(蕭克忠)이 만들었다. 부(部) 아래에서 방목하는 사람들이 전한(漢)의 옛 요양현(遼陽縣) 땅에 살았던 까닭에 주(州)와 성(城)을 설치하였다. 요주(遼州) 서북 90 리에 있고, 서북쪽으로 상경까지 720 리이다. 횡산(橫山)이 있다. 가구 수는 2백이다.	① 요녕성 부신시 창무현(彰武縣) 위자구몽고족향(葦子溝蒙古族鄉) 토성자촌(土城子村)[13][14] ② 부신시 포자판사처(泡子办事处) 부근[15]

횡주를 만든 소극충(蕭克忠)은 《요사》 성종 본기 개태 8년(1019) 5월 기사에 천주(川州) 장녕군절도사(長寧軍節度使)에 임명[16]된 사실이 있는데, 그 생몰년을 정확히 알 수 없으나 이를 근

11) 두하군주는 종실(宗室)의 제왕(諸王)과 외척(外戚)·대신(大臣)·제부(諸部) 등이 주로 여러 정벌전 과정에서 획득한 포로들로써 설치한, 사유지 성격을 띤, 요나라 특유의 행정구획 단위이다. (《遼史》 卷三十七志第七 地理志一 上京道 頭下軍州)

12) 《遼史》 卷三十七志第七 地理志一 上京道 頭下軍州 : 橫州。國舅蕭克忠建。部下牧人居漢故遼陽縣地, 因置州城。在遼州西北九十里, 西北至上京七百二十里。有橫山。戶二百。鳳州 : 稿離國故地, 渤海之安寧郡境, 南王府五帳分地。

13) 『阜新史话』 张海鹰 編, 2014, 社会科学文献出版社 刊, p.108

14) 『중문위키백과(維基百科)』 ‘橫州 (遼朝)’

15) 『중국역사지도집』 요 동경요양부 지도

16) 《遼史》 卷十六 本紀第十六 聖宗七 : (開泰八年)五月壬申, 以駙馬蕭克忠為長寧軍節度使。

거하면 대체로 11세기 초중반에 활동한 사람이다.

지리지 횡주 조에는 어디서 주민들을 옮겨와서 설치했다는 기술이 없고, 오직 "부(部) 아래에서 방목하는 사람들이 전한(漢)의 옛 요양현(遼陽縣) 땅에 살았던 까닭에 주(州)와 성(城)을 설치했다"고 돼 있다. 이 문장에는 '어디서'와 '어디에'에 해당하는 단어가 모두 생략돼 있다. 물론 '어디에'는 응당 횡주가 자리한 그 자리일 것인데, '어디서'까지 생략된 바는 그 해당지가 횡주와 동일하거나 비교적 가까운 곳이기 때문으로 추정할 수 있다.

횡주는 사학계 비정지를 참고하지 않더라도 《요사》 지리지가 기술한 횡주와 다른 주의 위치정보를 교차검토하면 그 대략적 위치가 드러나는데, 현 부신시의 동북부에 해당한다. 따라서 아무리 나태하게 접근하여도 횡주의 설치 근거가 된 '옛 요양현 땅(故遼陽縣地)'이 요하 동쪽 지역에 있었다고 추정하기 어렵다.

또한 다른 각도에서 보면, '옛 요양현 땅(故遼陽縣地)'이라는 표현 자체를 주목할 필요가 있다. '옛 요양현(故遼陽縣)'이 있으니 '지금의 요양현(今遼陽縣)' 또한 있었다는 것이 된다. 횡주를 설치한 소극충은 11세기 초중반에 활동한 사람이므로 발해를 무너트리고 동경도 지역이 거란의 차지가 된 지 백여 년이 흐른 때이자 동평군에 동단국민이 천사(遷徙)되고서 남경으로 승격되고, 다시 동경으로 개칭된 지 역시 백여 년이 흐른 때이다. 행정적으로 요하 좌우 지역이 완숙하게 거란의 소유로서 경영되고 있던 시기인 것이다. 따라서 11세기 당시의 '지금의 요양현(今遼陽縣)'은 당연히 동경요양부 직속현인 '요양현'을 가리킬 것이다.

즉 故遼陽縣地라는 표현으로써 遼陽縣地의 故와 今을 구분하고 있는 바는 동경요양부 직속현인 요양현이 있는 땅과 '옛 요양현 땅(故遼陽縣地)'이 서로 다른 곳임을 암시하는 것으로서, 11세기 초중반, 횡주가 설치된 그 당시에 동경요양부 요양현이 '옛 요양현 땅(故遼陽縣地)'에 설립되어 자리하고 있지 않았음을 뜻하고 있다. 지리지 횡주 조의 서술 태도에서 횡주의 설치 근거가 된 '옛 요양현 땅(故遼陽縣地)'은 횡주와 같은 지역 범주에 위치하였음이 추론되었는데, 그 지역 범주는 응당 요하 서쪽 지역으로서, 동경요양부 요양현과 다른 곳임이 故遼陽縣地 표현 분석에서 추론되었으므로 故遼陽縣地는 역시 요하 동쪽이 아니라 요하 서쪽의 모처를 고려할 수밖에 없다.

솔빈현(率賓縣)

《요사》 능사열전(能吏列傳)에는 대공정(大公鼎)이라는 이름을 지닌 발해인(渤海人)의 전기(傳記)가 수록돼 있다. 이 대공정전(大公鼎傳)에 요양(遼陽)과 관련하여 주목할 사실이 기술돼 있다.

> **대공정(大公鼎). 발해인으로, 선조는 요양(遼陽) 솔빈현(率賓縣)에 호적을 두고 있었다. 통화(統和) 연간[17]에 요동(遼東)의 유력한 가문(豪右)들을 이주시켜서 중경(中京)을 채웠는데, 이로 인하여 대정(大定)에 살게 되었다. 증조부인 대충(大忠)은 예빈사(禮賓使)였으며 아버지인 대신(大信)은 흥중현(興中縣) 주부(主簿)였다.[18]**

대공정(大公鼎)은 "(요 도종) 함옹(咸雍) 10년(1074)에 진사(進士) 시험에 올라 심주(瀋州)의 관찰판관(觀察判官)으로 임명[19]" 되었고, "(요 천조제) 보대(保大) 원년(1121)에 79살의 나이로 사망[20]" 했으니 요나라 말기에 해당하는 11세기 말부터 12세기 초까지 요나라에서 관리로서 활동한 사람이다. 요양(遼陽)과 관련하여 주목할 사실은, 그의 선조들은 본래 '요양 솔빈현'에 살았는데 요 성종 통화 연간에 중경이 조성됨에 따라서 중경으로 이거(移居)돼서 대정(大定)에 살게 됐다는 점이다.

대공정의 선조가 요양 솔빈현에서 중경으로 옮겨간 때는 1005

---

17) 요 성종, 983년~1012년

18) 《遼史》 卷九十七 列傳第三十五 能吏 大公鼎 : 大公鼎, 渤海人, 先世籍遼陽率賓縣。統和間, 徙遼東豪右以實中京, 因家於大定。曾祖忠, 禮賓使。父信, 興中主簿。

19) 《遼史》 卷九十七 列傳第三十五 能吏 大公鼎 : 咸雍十年, 登進士第, 調沈州觀察判官。

20) 《遼史》 卷九十七 列傳第三十五 能吏 大公鼎 : 保大元年卒, 年七十九。

년에서 1007년 사이로 판단할 수 있다. 《요사》 병위지(兵衛志)는 "통화 23년에 칠금산에 성을 쌓고, 대정부를 건립하여 중경이라 하였다."[21] 하여서 중경이 건립된 때를 1005년으로 제시하고 있는데, 성종 본기[22]와 지리지 중경도[23]는 통화 25년, 즉 1007년으로 제시하고 있어서 다소의 차이가 있다. 그런데 지리지 중경도는 또한 그 앞에서 성종이 도읍 건설을 마음먹고 2년에 걸쳐서 토목공사를 한 사실을 기술[24]하고 있어서 중경의 건립은 1005년에 시작하여 1007년에 완성되었음을 판단할 수 있다. 대공정전은 대공정의 선조가 요양 솔빈현에서 중경으로 이거(移居)돼서 대정(大定)에 살게 됐다고 하였는데, 여기서 이 '대정'은 대정부 자체를 의미한다기보다는 대정부의 수현(首縣)인 대정현[25]을 가리키는 것으로 보인다.

솔빈현(率賓縣)은 《요사》 지리지 동경도 강주(康州) 조에 따르면 강주의 속현으로서, 이는 《요사》 지리지 전체에 나타난 행정지명으로서 유일하다.

강주(康州). 하급으로 자사(刺史)를 두었다. 세종[26]이 발해 솔빈부 인호(人戶)로써 설치하였다. 현주(顯州)에 소속돼 있다. 처음에는 장녕궁(長寧宮)에 예속돼 있었는데 훗날 적경궁(積慶宮)에 속하였

---

21) 《遼史》 卷三十六 志第六 兵衛志下五京鄉下 : 聖宗統和二十三年, 城七金山, 建大定府, 號中京。

22) 《遼史》 卷十四 本紀第十四 聖宗五 : 二十五年春正月, 建中京。

23) 《遼史》 卷三十九 志第九 地理志三 中京道 : 二十五年, 城之, 實以漢戶, 號曰中京, 府曰大定。

24) 《遼史》 卷三十九 志第九 地理志三 中京道 : 聖宗嘗過七金山土河之濱, 南望雲氣, 有郛郭樓閥之狀, 因議建都。擇良工於燕、薊, 董役二歲, 邦郭、宮掖、樓閣、府庫、市肆、廊廡, 擬神都之制。

25) 《遼史》 卷三十九 志第九 地理志三 中京道 : 大定縣。白霫故地。以諸國俘戶居之。

26) 재위 947년~951년

다. 통할하는 현은 한 곳으로 솔빈현이 있다. (솔빈현은) 본래 발해 솔빈부 땅이다.[27]

현주(顯州)는 현 북진시(北鎭市)에 있었으므로 그 속주인 강주 또한 세하(細河)와 대릉하의 동쪽, 요하의 서쪽 지역에 자리하고 있었음이 분명하다. 그런데 이 지역에 위치한 강주(康州)의 부곽현(附郭縣)[28]이자 유일 현인 솔빈현을 《요사》 대공정전(大公鼎傳)은 "요양(遼陽) 솔빈현(率賓縣)"이라고 적고 있는 것이다.

여기서 이 '요양(遼陽)'을 동경요양부(東京遼陽府)를 가리키는 것으로 볼 수 있을까? 동경요양부에는 '솔빈현' 자체가 없고, 솔빈현을 내력으로 지녔거나 하다 못 하여 솔빈부를 연고로 한 현(縣) 역시 없으므로 불가하다.

그렇다면 요동(遼東)을 달리 표현한 것으로 볼 수 있을까? 요동은 본래 군(郡) 단위였고, 요양은 그 요동에 속한 현(縣) 단위였다. 따라서 요양을 요동으로 지칭할 수는 있으나 요동을 요양으로 지칭하였다고 보기 어렵다. 그런데 이러함에도 불구하고 '요양'이 요동의 대칭(代稱)으로 쓰였다고 가정하여 본다면 어떠할까?

이미 '요양 솔빈현'이라는 표현에서 솔빈현이 속한 강주, 그리고 강주가 속한 현주 지역이 아울러서 요양으로 호칭되었음이 추정되는 까닭에 요양이 요동의 대칭이라는 접근은 오히려 솔빈현을 통해서 요하 서쪽 지역을 강조하여 가리키면서 역시 그 지역이 요양이자 요동이었음을 판단케 한다.

---

27) 《遼史》 卷三十八志第八 地理志二 東京道 康州 條 : 康州, 下, 刺史。世宗遷渤海率賓府大戶置, 屬顯州。初隷長寧宮, 後屬積慶宮。統縣一 : 率賓縣。本渤海率賓府地。

28) 치소(治所)가 있는 현(縣)

한편으로 요나라 당시의 '요양(遼陽)'은 동경(東京)이 본래 요양고성(遼陽故城) 자리에 들어선 까닭에 동경과 혼용돼 쓰였다고 볼 수 있다. 즉 요양과 동경이 서로의 대칭(代稱)이었다고 볼 수 있는 것이다. 따라서《요사》대공정전(大公鼎傳)의 "요양(遼陽) 솔빈현(率賓縣)"에서 '요양'은 동경(東京) 자체를 달리 표현한 것이라고 추정할 수 있다. 그런데 솔빈현(率賓縣)은 현주(顯州)의 속주인 강주(康州)의 속현이지 않은가? 이러한 접근은 결국 현주가 곧 동경이었다는 결론을 도출해낸다.

강주와 강주의 속현 솔빈현은 세종이 발해 솔빈부 주민으로써 설치했으므로 그 구성원이 모두 발해 솔빈부 발해인들이다.《요사》에서 발해 솔빈부를 연고로 하였다 분명히 기술한 행정지는 강주와 솔빈현이 유일하다. 그런데《요사》지리지 동경도에는 이들 외에 솔빈부(率賓府)와 솔주(率州)가 별다른 설명 없이 등재돼 있기도 하다. 또한《요사》백관지(百官志) 남면경관(南面京官)에 기재된 '동경도 37주' 명부[29]에 솔빈주(率賓州)가 보인다.

즉 현(縣)이 주(州)가 되거나, 주(州)가 성(城), 또는 현(縣)으로 강등되는 사례가 전근대에 다반사(茶飯事)였으므로 비록《요사》지리지 강주 조가 기술하고 있지 않으나 세종이 강주와 솔빈현을 건립한 이후, 요 성종이 솔빈현의 발해호(渤海戶)를 중경으로 옮겨 살게 한 그 시기 이전에 강주가 현 단위로 격하된 때가 있었을 것으로 추정할 수 있는 것이다. 한편으로는, 강주(康州)가 현주(顯州)에 속주인 까닭에, 현주가 통할하는 지역을 아울러 칭하는 이름이 있었을 것인데 그 이름이 바로 '요양(遼陽)'이었다고 판단할 수

---

29) 《遼史》 卷四十八志第十七下 百官志四 南面京官 : 東京道三十七州：穆、賀、盧、鐵、崇、耀、嬪、遼西、康、宗、海北、巖、集、祺、遂、韓、銀、安遠、威、清、雍、湖、渤、郢、銅、涑、率賓、定理、鐵利、吉、麓、荊、勝、順化、連、肅、烏。

있다.

풀어보면, 《요사》 대공정전(大公鼎傳)을 근거하여 볼 때에 솔빈현(率賓縣)이 속한 지역이 '요양(遼陽)'이었으므로 강주(康州)와 현주(顯州) 등지가 '요양(遼陽)'이었던 것인데, 동경은 본래 요양(遼陽)에 들어선 동평군(東平郡)을 연고(緣故)로 한다. 즉 《요사》 대공정전(大公鼎傳)의 '요양(遼陽) 솔빈현(率賓縣)' 기사는 현주(顯州) 및 현주의 그 통할지 일대에 당시 동경(東京)이 자리하고 있었음을 강하게 시사하고 있다.

정리

요 태조가 919년에 요양고성(遼陽故城)을 수리해서 건립한 동평군(東平郡)은 동경(東京)의 연고지(緣故地)이다. 그런데 《요사》 지리지 동경도가 기술한 동경요양부 직속현 9 곳의 연혁에는 요양고성, 또는 동평군을 연고로 하는 곳이 단 한 곳도 없으며, 심지어 요양현은 본래 전한 패수현이었다고 기술돼 있다.

그런데 《요사》 전체에서 '요양'이 그 연고로서 언급된 유이(唯二)한 곳은 요하 서쪽의 횡주와 솔빈현이었다. 횡주는 11세기 초중반 경에 설치된, 두하군주 가운데 한 곳으로서 현 부신시 동북부에 있었고, 솔빈현은 현 북진시에 있으면서 그 일대를 통할한 현주의 속주인 강주의 유일한 속현으로서 역시 북진시 부근에 위치한 것으로 추정된다.

《요사》 지리지 상경도 두하군주 횡주 조는 故遼陽縣地라는 표현을 사용하고 있는데, 이는 遼陽縣地가 횡주가 설치된 11세기 초중반 당시에 故地와 今地로 구분되는, 동명이처(同名異處)의 두 곳이 존재하였음을 암시하는 것이다. 이때에 횡주는 故遼陽縣地와 관련이 있으므로 기술에서 생략된 今遼陽縣地는 당시에 요양현이라는 행정지명을 사용한, 동경요양부 직속현인 요양현을 가리킴을 판단할 수 있고, 그 한편으로 故遼陽縣地는 횡주가 있는 요하 서쪽의 지역 범주와 관련이 있음을 판단할 수 있다. 또한 대공정전은 '요양 솔빈현'이라는 표현을 사용하였는데, 이는 솔빈현이 속한 강주, 그리고 강주가 속한 현주의 통할지인 의무려산 북진시를 중심하여 세하·대릉하의 좌우에서 요하 서쪽에 이르는 지역이 '요양'으로 불렸음을 시사한다.

이상의 검토로써 동경, 그리고 동경이 공간적으로 근거한 본래의 요양은 현 요양시 백탑구 일원이 아니라 요하 서쪽의, 구체적으로 현 북진시를 중심한 그 일대의 故遼陽縣地임을 판단할 수 있다.

요 경종·성종의 행적으로 본 동경의 위치

도입

동경이 처음부터 현 요양시 백탑구 일원에 존재하였다면 설명할 수 없는 기사가 《요사》 경종 본기와 성종 본기에 있다. 이 글에서는 해당 기사를 분석하여 동경의 위치를 판단하고, 이로써 '동경의 이치(移置)' 여부(與否)에 접근하였다.

경종(景宗)의 행적과 동경

요 경종[1]은 요 5대 황제로서, 3대 황제인 요 세종[2]의 차남이자 동단국왕 야율배(耶律倍)[3]의 손자이다. 2대 황제인 요 태종[4]의 장남이자 4대 황제인 목종[5]을 제거하고 황제에 등극하였으며 969년부터 982년까지 요나라를 통치하였다. 경종으로부터 천조제(天祚帝)[6]까지 5대에 걸쳐서 야율배의 자손이 내리 황제의 대(代)를 이었다.

《요사》 경종 본기에 있는 다음 기사를 보자.

> **보령(保寧) 2년(970) 여름 4월, 동경(東京)에 가서 양국황제(讓國皇帝)와 세종(世宗)의 묘(廟)에 치전(致奠)하였다.**[7]

치전(致奠)은 제물(祭物)과 제문(祭文)을 올리며 제사 지내는 것을 뜻한다. 세종은 경종의 아비이고, 양국황제(讓國皇帝)는 세종이 그 아비 야율배에게 추존한 시호[8]이다. 즉 경종은 970년 4월에 동경에 가서 아버지 세종과 할아버지 야율배의 묘에 예를 올린 것이다.

동단왕 야율배와 요 세종을 장사지낸 곳, 그리고 그 무덤의 이

---

1) 야율현(耶律賢), 재위 969년~982년
2) 야율완(耶律阮), 재위 947년~951년
3) 동단국(東丹國) 인황왕(人皇王), 재위 926년~930년, 사망 936년
4) 야율덕광(耶律德光), 재위 927년~947년
5) 야율경(耶律璟), 재위 951년~969년
6) 야율연희(耶律延禧), 재위 1101년~1125년
7) 《遼史》 卷八本紀第八 景宗上 : (保寧二年)夏四月, 幸東京, 致奠於讓國皇帝及世宗廟。
8) 이후 문헌흠의황제(文獻欽義皇帝)로서 최종 추존되었다.

름이 동일하다. 《요사》 종실(宗室) 열전의 의종배(義宗倍)[9]전은 야율배를 의무려산에서 장사지냈으며, 그 무덤의 이름을 현릉(顯陵)이라 이름했다고 적었다.[10] 또한 《요사》 세종 본기는 세종을 현주(顯州)의 서산(西山)[11]에서 장사지냈고, 무덤의 이름을 현릉(顯陵)이라고 했다고 적었다.[12] 이러한 사실은 《요사》 지리지 동경도의 현주(顯州) 조에도 비교적 동일하게 기술돼 있다.[13] 합사(合祀)된 것은 아닐지라도 인근(隣近)에 무덤을 조성하고, 함께 일컬어 '현릉'이라 한 것으로 보인다.

그런데 여기서 주목되는 점은 970년 4월에 요 경종이 동경(東京)에 가서 이들 묘(廟)에 치전하였다는 사실이다. 《요사》 경종 본기의 해당 기록은 '동경에 가는 길에 현주에 들러서'도 아니고 "동경에 갔다. 양국황제(讓國皇帝)와 세종(世宗)의 묘(廟)에 치전하였다."로 아주 간결하다. 즉 말 그대로 동경에 가서 묘에 치전했다는 것인데, 이는 묘가 동경에 있어야 가능하다. 달리 말하면 현주 지역이 본래 동경의 일부이거나 현주 바로 근처에 동경이 있어야 가능한 기술이다. 그러나 사학계 통설에서 요 동경은 현 요녕성 요양시 백탑구에, 현주는 백탑구에서 요하 건너 서쪽으로 수백 리 떨어진, 현 북진시에 비정돼 있다.

9) 야율배. 의종(義宗)은 그 아들 세종에 의해 추존된 묘호(廟號)이다.
10) 《遼史》 卷六十四列傳第二 宗室 義宗倍 : 後太宗改葬千醫巫閭山, 謚曰文武元皇王。世宗即位, 謚讓國皇帝, 陵曰顯陵。
11) 현주의 서산은 의무려산이다.
12) 《遼史》 卷五本紀第五 世宗 : 應厲元年, 葬於顯州西山, 陵曰顯陵
13) 《遼史》 卷三十八志第八 地理志二 東京道 顯州 : 顯州, 奉先軍, 上, 節度。本渤海顯德府地。世宗置, 以奉顯陵。顯陵者, 東丹人皇王墓也。人皇王性好讀者, 不喜射獵, 購書數萬卷, 置醫巫閭山絶頂, 築堂口望海。山南去海一百三十里。大同元年, 世宗親護人皇土靈駕歸自汴京。以大皇王愛醫巫閭山水奇秀, 因葬焉。山形掩抱六重, 於其中作影殿, 制度宏麗。州在山東南, 遷東京三百餘戶以實之。應歴元年, 穆宗葬世宗於顯陵西山, 仍禁樵採。(하략)

《요사》 지리지 현주(顯州) 조에는 세종이 처음 현주를 만들 때의 상황이 기술돼 있는데 그 내용 가운데에 중요한 사실이 있다.

현주는 봉선현(奉先縣)·산동현(山東縣)·귀의현(歸義縣) 등 3 현과 가주(嘉州)·요서주(遼西州)·강주(康州) 등 3 주를 통할하였다. 이 가운데에서 속현만을 보자면 목종(穆宗)이 설치한 산동현을 제외한 나머지 2 곳은 모두 현주가 처음 건립될 때에 함께 설치되었다. 지리지 현주 조의 주요 기술 내용을 다음과 같이 발췌하였다.

(가) 현주는 의무려산의 동남쪽에 있는데 동경(東京)에서 300여 호(三百餘戶)를 옮겨서 채웠다.[14]

(나) 봉선현(奉先縣). 세종(世宗)이 요동(遼東) 장락현(長樂縣)의 주민(民)을 쪼개서 현릉(陵)을 지키는 민호(戶)로 삼았다.[15]

(다) 귀의현(歸義縣). 현주(顯州)를 처음 설치할 때에 발해민(渤海民)들이 와서 일을 도왔는데 세종(世宗)이 기뻐하고 측은하게 여기며 그 사람들을 호적에 올려서 현을 설치했다.[16]

(가)를 보면 "현주는 의무려산의 동남쪽에 있는데 동경(東京)에서 300여 호(三百餘戶)를 옮겨서 채웠다."고 하였다. 현주는 야율배의 무덤인 현릉을 받들고자 만든 주(州)이고, 그래서 그 이름도 현주인데 이 현주의 민호를 동경(東京)에서 데려와서 채웠다는 것이다. 그런데 (나)와 (다)의 기록을 보면 이들 민호(民戶)의 정체가 더 구체적으로 드러나 있다. (나)는 "세종(世宗)이 요동(遼東)

---

14) 《遼史》 卷三十八志第八 地理志二 東京道 顯州 : 州在山東南, 遷東京三百餘戶以實之。

15) 《遼史》 卷三十八志第八 地理志二 東京道 顯州 : 奉先縣。本漢無慮縣, 即醫巫閭, 幽州鎮山。世宗析遼東長樂縣民以為陵戶, 隸長寧宮。

16) 《遼史》 卷三十八志第八 地理志二 東京道 顯州 : 歸義縣。初置顯州, 渤海民自來助役, 世宗嘉憫, 因籍其人戶置縣, 隸長寧宮。

장락현(長樂縣)의 주민(民)을 쪼개서 릉(陵)을 지키는 민호(戶)로 삼았다."고 했고, (다)는 "현주(顯州)를 처음 설치할 때에 발해민(渤海民)들이 와서 일을 도왔는데"라고 했다.

지명	주민 구성	비고
현주	동경에서 옮겨온 300여 호	-
봉선현	요동 장락현 주민	현주 속현
귀의현	발해민	상동

장락현(長樂縣)은 《요사》 지리지 상경도 요주(饒州) 조에 따르면 본래 요성(遼城)에 있는 현 이름(縣名)이었다.[17] 요성(遼城)은 역사적으로 요동성(遼東城)이나 요양성(遼陽城)의 준말로 쓰인 말이다. 즉 "요동 장락현의 주민을 쪼개서 릉을 지키는 민호로 삼았다(봉선현)"와 "동경에서 300여 호를 옮겨와서 현주의 민호를 채웠다(현주)"는 결국 동일한 사실을 달리 표현한 것이다.

애초 현릉을 만들고 현주를 건립하기 위해서는 그 과정에서 이미 수많은 노동인력이 필요하다. "현주를 처음 설치했을 때에 발해민들이 일을 도왔다(귀의현)" 하였으므로 결국 현주와 그 속현인 봉선현·귀의현의 주민 기반은 현주가 설치될 때에 동경(東京)에서 데려온 발해민(渤海民)이었던 것이다.

그런데 현주, 또는 현주 주변 인근지에 이왕(已往)의 거주민이 없었다고 보기 어려우므로 현주에서 동쪽으로 소택지와 요하 건너, 수백 리 떨어져 있는, 사학계의 고정불변 동경 비정지인 현 요양시 일대에서 노동인력과 민호를 데려왔다고 보는 것은 억지스럽다.

17) 《遼史》 卷三十七志第七 地理志一 上京道 饒州 : 長樂縣。本遼城縣名。太祖伐渤海, 遷其民, 建縣居之。

동경(東京)이 현주가 들어선 현 북진시 인근에 있었다고 한다면 노동인력과 민호를 수급하기 쉬우며, 또한 "보령(保寧) 2년(970) 여름 4월, 동경(東京)에 가서 양국황제(讓國皇帝)와 세종(世宗)의 묘(廟)에 치전(致奠)하였다." 한 《요사》 경종 본기의 기록과 공간 맥락에 있어서 잘 부합한다.

그런데 묘(廟)는 무덤(陵) 앞에 조성한 묘당(廟堂)뿐만 아니라 사당(祠堂)을 뜻하기도 하므로 970년 4월에 경종이 동경에 가서 양국황제(讓國皇帝)와 세종(世宗)의 묘(廟)에 치전한 사실은 무덤과 묘당이 있는 의무려산의 현주에 간 것이 아니라 단지 동경에 있는 사당(廟)을 방문한 것 아니냐 하는 반문이 있을 수 있다. 실제로 거란은 승하(昇遐)한 황제의 사당을 곳곳에 만들어 놓고 참배한 것이 사실이므로 이러한 반문을 무시하기 어렵다. 다음의 기사는 그 사례의 하나이다.

> **통화 원년(983) 여름 4월 1일, 동경에 갔다. 추밀부사(樞密副使) 야율말지(耶律末)에게 시중(侍中)을 겸하게 하고 동경유수(東京留守)로 삼았다. 5일, 태조묘(太祖廟, 태조의 사당)에 배알하였다.**[18]

태조 야율아보기의 무덤(陵)은 태조본기에 따르면 조주(祖州)에 있었다.[19] 조주는 태조의 무덤인 조릉(祖陵)을 만들면서 설치한 주(州)로서 현 내몽골 적봉시(赤峰市) 파림좌기(巴林左旗)에 있던 요 상경(上京)의 서남쪽 인근에 위치했다.

즉 이러한 사례를 들어서 970년 4월의 경종은 단지 동경에 있

18) 《遼史》 卷十本紀第十 聖宗一 : (統和元年) 夏四月丙戌朔, 幸東京。以樞密副使耶律末只兼侍中, 為東京留守。庚寅, 謁太祖廟。

19) 《遼史》 卷二本紀第二 太祖下 : (天顯二年八月丁酉, 葬太祖皇帝於祖陵, 置祖州天城軍節度使以奉陵寢。

었던 양국황제(讓國皇帝)와 세종(世宗)의 사당에 참배했을 뿐이며, 이 기사는 동경이 현주 근처에 있었다는 근거가 될 수 없다고 반박할 수 있을 것이다. 하지만 양국황제와 세종의 무덤(陵)과 묘당(廟堂)이 현주, 즉 지금의 북진시에 있고 사학계가 요 동경 소재지로 비정한 현 요양시에 가기 위해서는 의무려산과 현주 근처를 지나야 하는데 실제 무덤과 묘당이 있는 현주를 지나쳐서 굳이 수백리 떨어진 요양시 백탑구까지 와서 실제 있었는지 없었는지 모를 사당에 참배할 이유가 있을까?

970년 4월, 요 경종은 동경에 가서 그 아비와 할아비의 무덤에 치전하였다. 그 아비 세종과 그 할아비 의종의 무덤은 현주 서쪽 의무려산에 있었다. 따라서 970년 4월 당시 요 동경은 현주, 즉 현 북진시, 또는 그 인근에 있었다고 판단할 수 있다.

성종(聖宗)의 행적과 동경

요 성종[20]은 경종과 예지황후 소씨의 장남인데 어린 나이에 등극하여 오랜 기간 그 어미 소씨의 섭정에 의지해야 했다. 성종은 그 어미 소씨에게 승천황태후(承天皇太后)의 존호를 올렸는데 993년 고려 1차 침략과 1004년 송나라와 맺은 전연지맹(澶淵之盟) 등이 승천황태후의 막후 작품이다. 성종은 982년부터 1031년까지 무려 50여 년 동안 황제의 자리에 있으면서 요 태조와 태종에 비견될 만큼 영토를 넓혔고, 또한 국가를 내외로 안정시켜 요나라를 안착시켰다. 특히 요 동경도의 실질 영역 대부분이 거란 성종대에 확보된 것이다.

성종은 983년 4월에 동경에 행차하였다. 다음의 기사를 보자.

> **통화 원년(983) 여름 4월 1일(丙戌朔), 동경에 갔다. 추밀부사(樞密副使) 야율말지(耶律末只)에게 시중(侍中)을 겸하게 하고 동경유수(東京留守)로 삼았다. 5일(庚寅), 태조묘(太祖廟, 태조의 사당)에 배알하였다. 8일(癸巳), 과부(婦寡, 부과)로 사는 이들에게 물건을 하사하라고 명하였다. 11일(丙申), 남쪽으로 갔다(南幸). 16일(辛丑), 삼릉(三陵)을 배알하고, 동경(東京)에 진상된 물건을 나눠서 능침(陵寢)을 지키는 관리들에게 하사했다. (생략) 17일(壬寅), 응신전(凝神殿)에 치향(致享)[21]하였다.[22]**

성종은 동경을 방문한 후에 남쪽으로 행차하여 삼릉(三陵)을 배

---

20) 야율융서(耶律隆緖), 재위 982년~1031년

21) 제물(祭物)과 제문(祭文)을 올리며 제사 지내는 것. 치전(致奠).

22) 《遼史》 卷十本紀第十 聖宗一 : (統和元年) 夏四月丙戌朔, 幸東京。以樞密副使耶律末只兼侍中, 為東京留守。庚寅, 謁太祖廟。癸巳, 詔賜物命婦寡居者。丙申, 南幸。辛丑, 謁三陵, 以東京所進物分賜陵寢官吏。復詔賜西南路招討使大漢劍, 不用命者得專殺。壬寅, 致享於凝神殿。癸卯, 謁乾陵。

알하고 응신전(凝神殿)에 치향하였다. 응신전(凝神殿)은 《요사》 성종 본기 통화 원년(983) 12월 임오(壬午)일 기사[23]와 통화 3년(985) 8월 경진(庚辰)일 기사[24]에 따르면 현주(顯州)에 있다. 한편 《요사》 지리지 동경도 건주(乾州) 조는 건주에 있다고 적었다.[25] 그런데 애초 건주는 경종(景宗)의 무덤인 건릉(乾陵)[26]을 받드는 목적으로 현주 땅을 떼어 설치[27][28]된 곳이므로 지리지 건주 조의 기록은 응신전이 현주에 있다 한 성종 본기의 기술과 합치한다. 즉 본래 현주에 있었는데 현주 땅을 분할해 건주를 만들면서 그 지역이 건주에 속하게 된 것[29]이다. 이에 983년 4월 16일

---

23) 《遼史》 卷十本紀第十 聖宗一 : (統和元年) 十二月壬竿朔, 謁凝神殿, 遣使分祭諸陵, 賜守殿官屬酒。是日, 幸顯州。

24) 《遼史》 卷十本紀第十 聖宗一 : (統和三年) 庚辰, 至顯州, 謁凝神殿。

25) 《遼史》 卷三十八志第八 地理志二 東京道 乾州 : 乾州, 廣德軍, 上, 節度。本漢無慮縣地。聖宗統和三年置, 以奉景宗乾陵。有凝神殿。隸崇德宮, 兵事屬東京都部署司。

26) 983년(통화원년) 2월 갑오(甲午)일에 장사지냈다(甲午, 葬景宗皇帝於乾陵, 以近幸朗、掌飲伶人撻魯為殉。《遼史》 卷十本紀第十 聖宗一 2월 갑오일 기사)

27) 금나라 관리 왕적(王寂)이 남긴 1190년 업무일지인 《요동행부지(遼東行部志)》의 음력 2월 갑진(甲辰, 明昌改元春二月)일 기사는 "경종의 비이자 성종의 어미인 승천황태후가 의종 야율배와 세종의 무덤인 선영릉(先塋陵), 즉 현릉의 동남쪽에서 경종을 장사지내고 성을 쌓은 후에 경종의 무덤인 건릉에서 이름을 취하여 '건주'라고 하였으며, '건(乾)'을 이름으로 한 까닭은 릉(陵)의 위치가 (건주에서) 서북쪽 모퉁이에 있었기 때문(乾掛의 방위가 西北이다)이다"라고 적었다. (承天皇太后葬景宗於先塋陵之東南建城曰乾州取其陵在西北隅故以名焉)

28) 《요사》 성종본기 건형 4년(982) 11월 기사에 "건주(乾州)를 설치했다" 한 기록이 있고, 성종본기 통화 3년(985) 8월 기사에 "건주(乾州)에 가서 새 궁궐을 구경하였다." 한 기록이 있으므로 982년에 경종의 건릉을 조성하면서 설치가 되어 985년에 수의 건립이 비로소 완료된 것임을 알 수 있다.

29) 《무경총요》 북번지리 건주(乾州) 조에 따르면 건주는 현주 서쪽 8리에 있었다(東至顯州八里). 그런데 《무경총요》 북번지리 현주(顯州)

(辛丑)에 배알한 '삼릉(三陵)'의 정체 또한 자연스럽게 드러나는데, 바로 야율배와 세종의 무덤인 현릉(顯陵), 그리고 경종의 무덤인 건릉(乾陵)이 그것이다.[30]

《요사》 성종 본기 983년 4월 기사를 정리하면, 성종은 동경을 방문하였다가 "남쪽으로 가서(南幸)" 삼릉(三陵)을 배알하고, 응신전(凝神殿)에 치향(致享)하였다. 삼릉은 현주의 남쪽 땅을 떼어서 만든, 훗날 건주(乾州)가 되는 곳의 서북쪽에 있었고, 응신전은 역시 훗날 건주가 되는, 당시의 현주에 있었으므로, 이때의 동경(東京)은 현주의 북쪽에 위치한 셈이 된다.

조(南至乾州七里)와 의무려산(醫巫閭山) 조(又置乾州、顯州, 在山之南, 二州相去七里。)에 따르면 건주는 현주 남쪽 7 리에 있었다. 한편 왕적(王寂)의 《요동행부지(遼東行部志)》 2월 갑진(甲辰, 明昌改元春二月)일 기사는 건주(요 건주 봉릉현으로서, 금 태종 천회 8년인 1130년에 폐지 되었고, 봉릉현은 여양현으로 이름이 바뀌어서 요나라 시기 현주였던 광녕부에 예속됨《금사·지리지》)와 광녕부의 거리가 5 리(本朝以其縣去廣寧府五里改州為縣)라고 적었다.

30) 그런데 성종은 응신전에 치향한 그 이튿날인 계묘일에 건릉을 배알하였다. (癸卯, 謁乾陵。) 따라서 '삼릉'이 야율배와 세종, 경종의 무덤을 일컫는 것인지 아니면 경종을 제외한 어느 이의 무덤을 포함한 것인지, 또 이것이 아니라 단지 이들 무덤 가운데에 건릉을 계묘일에 다시 배알한 것인지 불확실하다. 그러나 응신전에 치향한 사실과 건릉을 배알한 사실에서 성종이 983년 4월에, 동경에서 남쪽으로 가서 현주를 방문한 것은 분명하다.

정리

970년(보령 2년) 4월, 요 경종은 동경(東京)에 가서 양국황제(讓國皇帝)와 세종(世宗)의 묘(廟)에 치전(致奠)하였다. 두 황제의 무덤은 현주 서쪽 의무려산에 현릉(顯陵)이라는 이름으로서 조성돼 있었다. 그런데 묘(廟)는 무덤(陵) 앞에 조성한 묘당(廟堂)뿐만 아니라 사당(祠堂)을 뜻하기도 하므로 970년 4월에 경종이 동경에 가서 양국황제(讓國皇帝)와 세종(世宗)의 묘(廟)에 치전한 사실은 무덤과 묘당이 있는 의무려산의 현주에 간 것이 아니라 단지 동경에 있는 사당(廟)을 방문한 것으로 해석할 수도 있을 것이다. 그러나 사학계 통설대로 동경이 현 요양시 백탑구에 있었다고 가정한다 하여도 동경에 가기 위해서는 현주 부근을 지나쳐야 한다. 즉 동경이 소재한 요양시 백탑구로 가는 경로의 부근인 현 북진시에 두 황제의 무덤이 자리하고 있는데 그 무덤에 직접 가지 않고 그냥 지나쳐서 수백 리 떨어져 있는 동경에 가서 사당에 치전하였다는 것은 사리(事理)에 어긋난다.

983년(통화 원년) 4월, 요 성종은 동경을 방문한 후에 남쪽으로 가서(南幸) 현주(顯州)에 있는 삼릉(三陵)을 배알하고, 응신전(凝神殿)에 치향(致享)하였다. 응신전은 본래 현주에 있었는데, 현주의 남쪽을 떼어서 건주가 조성되면서 그 지역이 건주에 속하게 되었다. 현주와 건주는 현 북진시에 남북으로 상접하여 있었다. 따라서 983년 4월에 성종이 방문한 동경(東京)은 현 북진시 북부, 또는 북쪽 인근에 위치했음을 추정할 수 있다.

요 경종과 성종의 동경 행차 기사는 970년과 983년 당시 동경의 위치가 현 북진시 지역이었음을 강하게 암시(暗示)하고 있다.

요택(遼澤) 기사로 본 동경의 위치

거란 성종(聖宗)은 통화(統和) 3년(985) 7월 1일(음력, 이하 생략)에 모든 도(道)에 조서를 내려 무기와 갑옷 등 병장기를 정비하여 고려 정벌을 준비하도록 하였다. 그런데 그 한 달 후인 8월 1일이 되어서는 요택(遼澤)에 물이 가득 찼다는 이유를 들어서 고려 정벌을 그만두었다. 이 사실은 당시 동경의 위치를 가리키고 있다.

우선 《요사》 성종 본기에서 해당 시기 주요 기사를 순차별로 정리하면 다음과 같다.

순서(음력)		기사 내용
985년 7월[1]	1일	모든 도에 조서를 내려 무기와 갑옷 등 병장기를 정비하여 동쪽으로 고려를 정벌하는 것을 준비하도록 하였다.
	11일	(황제가) 동쪽으로 행차하였다.
	23일	토하(현 로합하)에 가서 머물렀다.
	24일	가마를 타고 나아가 정사를 살피고자 하는데 토하의 물이 심하게 넘치므로 배다리(船橋)를 만들라 명하였다.
	25일	사람을 보내 동경(東京)의 모든 병장기 구비 실태와 동정(東征) 도로의 상태를 검열하도록 했다.
985년 8월[2]	1일	요택에 물이 가득 차서 고려 정벌을 그만두었다. 추밀사 야율사진을 도통사로 삼고, 부마위 소간덕을 감군으로 삼아서 병력을 가지고 여진을 토벌하라 명하였다.
	5일	교성(稿城)에 행차했다.
	8일	현주에 도착하여 응신전에 참배하였다.

	9일	건주에 가서 새 궁궐을 구경하였다.
	11일	건릉을 배알(참배)하였다.
	18일	(여진 토벌을 맡은) 동정도통사가 (황제께) 아뢰는 바, 도로의 진창이 더욱 심하여 아직 토벌에 나아가지 못하였다 하니 조서를 내려 늪(진창)이 굳게 마를 때까지 대기하라 하였다.
985년 윤9월[3]	5일	바다에 행차하였다.
	9일	중구(중양절, 음력 9월 9일)를 맞아 낙타산에 올라 여러 신하들에게 국화주를 하사하였다.
	10일	동정(여진 정벌)하는 장수와 병사들에게 조서를 내려서 (늪의) 물이 마르면 진격하여 (여진을) 토벌하라 타일렀다.
	25일	여진의 재상 수부리가 와서 조공하였다.
985년 11월[4]	27일	동고산에 머물렀다.
	28일	동쪽으로 여진을 정벌하는 도통사 소달람, 약선노가 행군하며 경유하는 곳의 지리와 산물에 대해 보고해 왔다.
986년 1월[5]	6일	토하(현 로합하)에 가서 물고기 잡는 것을 구경하였다. 림아 야율모로고와 창덕군절도사 소달람이 동정(즉 여진정벌)의 성과를 아뢰어오니 조서를 내려 격려하였다.
	8일	림아 근덕 등이 여진을 토벌하여 생구(포로) 10여 만 명과 말 20여 만 마리와 여러 재물을 획득하였음을 아뢰어 왔다.

1) 《遼史》 卷十 本紀第十 聖宗一 : (統和三年) 秋七月甲辰朔, 詔諸道繕甲兵, 以備東征高麗。甲寅, 東幸。甲子, 遣郎君班哀賜秦王韓匡嗣葬物。丙寅, 駐蹕土河。以暴漲, 命造船橋, 明日乘步輦出聽政。老人星見。丁卯, 遣使閱東京諸軍兵器及東征道路。以平章事蕭道寧為昭德軍節度使, 武定軍節度使、守司空兼政事令郭襲為天平軍節度使, 大同軍節度使、守太子太師兼政事令劉延構為義成軍節度使, 贈尚父秦王韓匡嗣尚書令。

2) 《遼史》 卷十 本紀第十 聖宗一 : 八月癸酉朔, 以遼澤沮洳, 罷征高麗。命樞密使耶律斜軫為都統, 駙馬都尉蕭懇德為監軍, 以兵討女直。

거란 성종이 985년 7월 1일, 제도(諸道)에 고려 정벌 준비를 명하였는데 곧이어 여름 장마가 시작된 것으로 짐작되는 바, 황제(거란 성종)가 23일에 토하(현 로합하)에 도착하였을 때에는 이미 강이 범람하기 시작하여 배다리(船橋)를 만들어서 건널 수 있었다. 25일에 동경(東京)에 사람을 보내서 병장기와 동정도로(東征道路) 상태를 점검하도록 하였는데, 이로써 당시 고려 정벌 기지(基地)가 동경이었음을 분명히 알 수 있다.

그런데 거란 성종은 한 달 후, 8월 1일에 요택(遼澤)에 물이 가득 찬 까닭에 고려 정벌을 취소하고 대신 그 병력으로써 여진(女直)을 토벌하도록 지시한다. 그러나 이 여진 토벌군 역시 도로가 진창인 까닭에 토벌에 나서지 못 하였으니, 11월 28일 기사로써 추정컨대 8월 1일 이후 최소 두 달 이상은 지체한 것으로 보인다.

丁丑, 次稿城。庚辰, 至顯州, 謁凝神殿。辛巳, 幸乾州, 觀新宮。癸未, 謁乾陵。甲申, 命南、北面臣僚分巡山陵林木, 及令乾、顯二州上所部里社之數。丙戌, 北皮室詳穩進勇敢士七人。戊子, 故南院大王諧領已里婉妻蕭氏奏夫死不能葬, 詔有司助之。庚寅, 東征都統所奏路尚陷濘, 未可進討, 詔俟澤涸深入。癸巳, 皇太后謁顯陵。庚大, 謁乾陵。辛丑, 西幸。

3) 《遼史》卷十 本紀第十 聖宗一 : 閏九月癸酉, 命邢抱樸勾檢顯陵。丙子, 行次海上。庚辰, 重九, 駱駝山登高, 賜群臣菊花酒。辛巳, 詔諭東征將師, 乘水涸進討。丙申, 女直宰相術不裏來貢。戊戌, 駐蹕東古山。

4) 《遼史》卷十 本紀第十 聖宗一 : 冬十一月甲戌, 詔吳王領秦王韓匡嗣葬祭事。丁丑, 詔以東北路兵馬監軍妻婆底裡存撫邊民。戊寅, 賜公主胡骨典葬夫金帛、工匠。辛卯, 以韓德讓兼政事令。癸巳, 禁行在市易布帛不中尺度者。丙申, 東征女直, 都統蕭闥覽、菩薩奴以行軍所經地里、物產來上。

5) 《遼史》卷十 本紀第十 聖宗一 : 四年春正月甲戌, 觀漁土河。林牙耶律謀魯姑、彰德軍節度使蕭闥覽上東征俘獲, 賜詔獎諭。丙子, 樞使耶律斜軫、林雅勤德等上討女直所獲生口十餘萬、馬二十餘萬及諸物。

사학계는 일반적으로 거란이 985년 겨울부터 이듬해 1월까지 진행한 '여진 토벌'의 대상이 발해 유민이 세운 정안국(定安國)이었다고 설명하고 있으며, 이 정안국의 영역을 현 서북한 압록강 중·상류에 비정하고 있다.[6] 또한 고려의 서북계(西北界)에 대해서는 고려가 청천강과 박천강(博川江)을 한계로 하였고, 그 북쪽에는 여진족이 살고 있어서 고려의 북방 진출에 방해가 되었는데 993년의, 이른바 거란 1차 침략의 강화 조건으로서 거란에게서 압록강 동쪽 지역을 할양받음으로써 비로소 현 서북한 압록강까지 진출하게 되었다고 설명[7]하고 있다.

여기서, 거란 동경을 현 요양시 백탑구 일대에 고정불변 비정해 놓고 있는 사학계 통설은 《요사》 성종 본기의 바로 이들 기사와 만나며 심각한 모순에 봉착한다. 왜냐하면 사학계 통설은 또한 역사상의 모든 요택(遼澤)을 현 북진시 동쪽, 요하 서쪽의 천연 소택지(沼澤地)에 고정해 놓고 있기 때문이다. 그런데 985년 기사에서 거란의 고려 및 여진 정벌을 위한 동정도로(東征道路)는 장마로 불어난 요택에 의해서 끊겼다. 요택이 동경의 동쪽에 있었던 것이다.

그렇다면 현 요양시 백탑구의 동쪽에 역사적으로나 지리학적으로 '요택'이라 불렸거나 불릴 만한 지대(地帶)가 있었는가? 아무리 장마 기간이 끼어있었다 하여도 군대의 진군을 몇 달 동안 가로막을 규모의 무슨 소택지가 존재했는가? 현 요양시와 서북한 압록강 사이에는 비교적 험준한 천산산맥(千山山脈)이 동북에서 서남 방향으로 길게 놓여있을 뿐이다. 즉 역사적으로나 지리학적으로 그러한 지대는 존재하지 않았다.

---

6) 『한국민족문화대백과사전』 정안국(定安國)
7) 『한국민족문화대백과사전』 강동육주(江東六州)

공교롭게도 상기 표에 제시한 《요사》 성종 본기 기록에서 거란 성종이 고려 정벌 준비를 명령한 7월부터 그 정벌을 취소하고 타격목표를 바꿔서 여진 토벌을 지시한 8월까지의 기사를 살펴보면, 성종의 행적에서 가장 동쪽에 위치한 곳은 그 위치를 알 수 없는 교성(橋城)을 제하고 보면 현주(顯州)와 건주(乾州)이다. 이 두 주(州)는 현 북진시에 있었다. 비록 8월 1일에 고려 정벌을 취소하였으나 '동쪽으로 행차 - 토하 - 동경 병장기 및 도로 상태 검열 지시' 등 7월의 행적을 보면 성종은 분명 정벌기지 역할을 한 동경을 향해 이동하고 있었다. 그런데 기록상에 나타난 그 가장 동쪽의 실제 행선지는 현주와 건주였다.

윤(閏) 9월의 행적을 보면 '바다(海) - 낙타산 - 동고산'으로 나타나는데 문헌에서 그 위치가 제시된 낙타산을 놓고 보면, 명(明) 요동도사 관할지역의 지리정보를 다룬 《독사방여기요》 산동 8에 두 곳의 낙타산이 기술돼 있다. 한 곳은 복주위(復州衛) 서쪽 30리[8], 다른 한 곳은 의주위(義州衛)와 옛 요 중경도 천주(川州)의 접경지[9]이다. 이 가운데에서 복주위 지역은 본래 갈소관여진(曷蘇館女直) 지역으로서, 요(遼) 흥종(興宗, 재위 1031~1055) 대에 복주가 설치[10]됨으로써 비로소 거란의 영역이 되었으므로 985년 당시에 성종이 이곳을 방문하였다고 볼 수 없는 까닭에 의주위와 옛 천주의 접경지, 대체로 현 부신시(阜新市) 청하문구(淸河門區) 부근에 해당하는 지역의 낙타산이 이때에 성종이 방문한 낙타산으로 보는 것이 합리적이다.

---

8) 《讀史方輿紀要》 卷三十七 山東八 : 駱駝山, 在(復州)衛西三十里

9) 《讀史方輿紀要》 卷二十七 山東八 : 青山(義州)衛東二十里, 上有塔。又衛東北五十里有隘口山, 又十里有駱駝山, 與廢川州接界。

10) 《遼史》 卷三十八 志第八 地理志二 東京道 : 復州, 懷德軍, 節度。興宗置。兵事屬南文直湯河司。統縣二 : 永寧縣。德勝縣。

또한《요사》 성종 본기 기록에서 986년의 첫 행적으로 기술된 것이 '토하에서 낚시하는 것을 구경'한 것이다. 즉 성종은 985년 7월 이후 대체로 현주·건주가 있었던 현 북진시를 동한계로 하여서 그 서쪽 지역에 머물고 있었던 셈이다.

혹자는 '요택'과 '거란 동경'에 대한 사학계 통설의 비정을 그대로 근거하여서 요택에 물이 가득 차서 거란이 고려 정벌을 취소한 까닭을 거란의 각지에서 동경으로 이동하는 병력과 물자가 이용하는 기존 교통로가 장마로 인해서 끊겼기 때문이라고 설명할지도 모른다. 그러나 이러한 설명은《요사》 성종 본기의 해당 기록을 제대로 읽지 않은 것에 불과하다.

첫째, 거란 성종은 동경으로 행차하면서, 고려 정벌 준비를 명한 지 24일째 되는 985년 7월 25일에 신하를 먼저 동경에 보내서 동경의 모든 병장기 구비 실태와 동정도로(東征道路) 상태를 검열하도록 하였다. 이는 고려 정벌 준비를 모두 끝마친 상태였음을 뜻한다.

둘째, 거란 성종은 985년 8월 1일, 요택에 물이 가득 찬 까닭에 고려 정벌을 취소하고서 곧바로 여진을 토벌할 것을 명하였다. 이들 여진 토벌군은 요택에 물이 차면서 도로가 진창이 되어서 최소 두 달 가량 진군(進軍)하지 못 했다. 또한 986년 1월의 전쟁성과가 '포로 10여 만에 말(馬)이 20여 만'인 것에 비추어 볼 때에 여진 토벌군의 규모가 상당히 컸음을 추정할 수 있다. 즉 이러한 사실은 고려 정벌을 취소한 985년 8월 1일 당시에 이미 동경에 대규모 병력과 군수물자가 구비되어 있었으며 단지 도로가 진창이 되어서 진군하지 못 하고 몇 달을 대기하였을 뿐임을 함의(含意)한다.

따라서 《요사》 성종 본기의 985년 7월부터 986년 1월까지의 기록을 근거할 때에 당시 거란 동경은 '요택'이라 칭할 만한, 현 북진시와 요하 사이에 존재한 천연 소택지의 서쪽에 있었으며, 그 구체적 위치는 추적 가능한 성종의 행적에서 가장 동쪽 지역인 현주·건주가 소재했던 현 북진시가 유력하다.

《무경총요》 북번지리로 본 동경의 위치

도입

《무경총요(武經總要)》는 1040년, 북송(北宋) 인종(仁宗)의 명을 받아 증공량(曾公亮)과 정도(丁度) 등이 찬술하여 1044년에 완성한 병서(兵書)이다. 1038년에 현 중국 산서성(山西省) 북부·섬서성(陝西省)·감숙성(甘肅省)·영하회족자치구(寧夏回族自治區) 등을 아우르는 지역에 티베트 계통의 탕구트족(Tangut, 黨項族)이 세운 서하(西夏)가 들어섰는데 그 이듬해인 1039년에 그 왕 경종(景宗) 이원호(李元昊)가 송(宋)에 대등한 관계를 요구해오면서 두 나라 사이에 격심한 갈등이 발생한다. 이에 1040년에서 1042년 사이에 수차례의 전쟁이 벌어졌으니 세칭 '송·하전쟁(宋夏戰爭)'이다. 송나라는 서하뿐만 아니라 거란에게도 항시적 위협을 받고 있었다. 또한 기존 우방국이었던 고려와 여진이 송과의 통교를 끊은 상태[1]여서 송나라는 이들이 거란과 연합하여 침입해 올 것을 우려[2]하였다. 《무경총요》는 송이 처한 이러한 국제적 고립상황에서 병법 등의 군사기술과 지리정보를 집대성할 필요를 절감하여 편찬한 것이다.

《무경총요》는 크게 전집(前集)과 후집(後集)으로 나뉘는데, 전

1) 고려는 현종 22년(1031)부터 송에 사신을 보내지 않았으며, 여진은 줄곧 고려를 따라서 송에 사신을 보냈다가 1031년에 안단(晏端) 등 184인이 송에 내부(內附)한 것을 마지막으로 통교가 끊겼다.

2) 《續資治通鑑長編》 卷一百五十八 : (宋仁宗慶歷六年內申五月) 亅未, 上謂輔臣曰 :「新羅、高麗諸國, 往年入貢, 其舟船皆自登州海岸往還。如聞女真、三韓已為契丹所並, 儻出不意, 則京東諸郡何以應敵 ? 宜下登州訪海外諸國道里遠近, 及究所以控御之策具奏。」

집은 제도(制度) 15권과 변방(邊防) 5권으로, 후집은 고사(故事) 15권과 점후(占候) 5권으로 구성돼 있다. 거란 지역의 지리정보는 전집 변방 1 하(邊防一下) 북번지리(北蕃地理)에 비교적 상세히 기술돼 있다.

서로 대적(對敵)하고 있는 한 나라의 지리정보는 필연적으로 대외비(對外祕)에 속할 수밖에 없다. 송나라는 거란을 방문한 사신들과 거란에서 투항해온 자들을 통해서 그 초기부터 근 백 년에 걸쳐서 거란 영역의 세부 정보를 취득하여 축적하였다. 그런데 그 기간 동안 거란 영역은 외부로 심대하게 확장되었을 뿐만 아니라 기존 영역 내에서도 변화가 심하였다. 《무경총요》 북번지리는 거란 영역의 이러한 변화상을 정밀하게 반영하지 못 하여서 부분적으로 부정확하거나 모순된 기술이 있는데 동경(東京)과 동경(東京)을 중심한 그 주변 지역(동경사면제주)의 지리정보가 특히 심하다. 이는 요(遼) 성종(聖宗) 대부터 동경도(東京道) 지역이 확장되어 자리를 잡기까지 진행된 이치(移置)·승격·강등·신설·편입·폐지·통합 등 대대적 행정개편의 전후(前後)에 각기 입수된 여러 정보가 뒤섞인 데에서 비롯한 것으로 판단된다.

《무경총요》 북번지리는 요(遼) 동경도에 해당하는 동경사면제주, 즉 동경의 사면(四面)에 위치한 여러 주(諸州)를, 내원성(來遠城)을 포함하여 총 20 곳 제시하여 기술하였다. 이는 《요사(遼史)》 지리지 동경도에 제시돼 있는, 부(府)를 제외하고 내원성(來遠城)과 순화성(順化城)을 포함한 총 87 곳의 1/4에도 미치지 못 하는 숫자이다. 또한 《요사》 지리지에서 중경도(中京道)에 속한 일부 주(州)가 동경사면제주(東京四面諸州)에 제시돼 있기도 하다.

《무경총요》 북번지리가 기술한 거란 동경사면제주(東京四面諸

州) 20 곳의 면면(面面)을 《요사》 지리지의 기술과 비교·대조하여 표로써 제시하면 다음과 같다.

<table>
<tr><th rowspan="2">명칭</th><th colspan="2">무경총요</th><th colspan="2">요사</th></tr>
<tr><th>소속</th><th>건립 시기</th><th>소속</th><th>건립 시기</th></tr>
<tr><td>심주(沈州)</td><td rowspan="20">동경</td><td>요 태종</td><td rowspan="17">동경</td><td>요 태종</td></tr>
<tr><td>한주(韓州)</td><td>-</td><td>요 성종</td></tr>
<tr><td>동주(同州)</td><td>요 태조</td><td>요 태조</td></tr>
<tr><td>요주(耀州)</td><td>-</td><td>-</td></tr>
<tr><td>신주(信州)</td><td>-</td><td>요 성종</td></tr>
<tr><td>은주(銀州)</td><td>요 태조</td><td>요 태조</td></tr>
<tr><td>쌍주(雙州)</td><td>-</td><td>요 태종</td></tr>
<tr><td>귀주(貴州)</td><td>-</td><td>요 태종</td></tr>
<tr><td>현주(顯州)</td><td>-</td><td>요 세종</td></tr>
<tr><td>건주(乾州)</td><td>-</td><td>요 성종</td></tr>
<tr><td>종주(宗州)</td><td>-</td><td>요 성종</td></tr>
<tr><td>암주(巖州)</td><td>-</td><td>-</td></tr>
<tr><td>개주(開州)</td><td rowspan="2">신라[3] 정벌 시
1010년(음)</td><td>1014년(음)</td></tr>
<tr><td>내원성(來遠城)</td><td>요 성종</td></tr>
<tr><td>보주(保州)</td><td>-</td><td>1014년(음)</td></tr>
<tr><td>길주(吉州)</td><td>-</td><td>-</td></tr>
<tr><td>염주(鹽州)</td><td>-</td><td>-</td></tr>
<tr><td>금주(錦州)</td><td>요 태조</td><td rowspan="3">중경</td><td>요 태조</td></tr>
<tr><td>엄주(嚴州)</td><td>요 태조</td><td>요 성종</td></tr>
<tr><td>습주(隰州)</td><td>요 성종</td><td>요 성종</td></tr>
</table>

거란 동경사면제주(東京四面諸州)에 제시된 20 곳 가운데에서 《무경총요》가 완성된 해인 1044년을 기준하여 가장 최근에 건립된 곳은 신주(信州)이다. 신주의 설치 시기에 대해서 《요사》 지리지 동경도 신주 조는 개태(開泰, 1012~1021) 초라고 하였으나 《금사》 지리지 신주 조는 구체적으로 개태 7년이라고 제시[4]하고 있다. 따라서 1018년에 건립됐음을 알 수 있는데, 《무경총요》 북번지리 신주 조의 기술은 정작 신주에 대해서 기술한 것이 아니라 《구당서》 지리지가 당(唐) 하북도(河北道) 신주(信州)에 대해서 기술한 내용을 중심으로 요(遼) 동경도 용주(龍州)의 정보가 뒤섞인 것이다.

가 -《무경총요》 북번지리 信州[5]

당 측천무후 때에 거란 실활부락이 있는 곳에 주(州**)를 설치하고 영주도독(**營州都督**)에 예속시켰다가 다음 해에 청산주(**青山州**)에 옮겨서 안치(**安置**)하였다. 지금은 거란이 창승군(**彰勝軍**)을 만들었다.**

동남북 3 면이 생여진 지역까지 각각 30 리이며, 서쪽으로 역류하(逆流河**)까지 70 리, 동남쪽으로 장춘주(**長春州**)까지 120 리, 북쪽으로 흑수하(**黑水河**)까지 30 리이며, 땅(**地**)에 황룡현(**黃龍縣**)이 있다. 황룡현은 옛 발해국(**渤海國**)의 땅으로서, 지금은 오랑캐(**虜中**)가 황룡부(**黃龍府**)라 일컫는데, 고조(**高祖**, 야율아보기)가**

---

3) 고려를 가리킨다. 송·원대 문헌들은 주로 고구려의 '고려'와 구분하기 위해서 왕건이 건국한 고려를 종종 '신라'로 적었다.

4) 《金史》 志第五 地理上 上京路 : 信州, 下, 彰信軍刺史。本渤海懷遠軍, 遼開泰七年建, 取諸路漢民置。戶七千三百五十九。縣一 : 武昌本渤海懷福縣地。鎮一八十戶。

5) 《武經總要前集》 邊防一下 北蕃地理 : 信州, 唐天后時置州, 以處契丹失活部落, 隸營州都督, 明年遷於青山州安置。今契丹建為彰勝軍。東南北三面至生女真界各三十里, 西至逆流河七十里, 東南至長春州百二十里, 北至黑水河三十里, 地有黃龍縣〔古渤海國之地, 今虜中號黃龍府, 自云高祖射黃龍之所, 誇詞也〕。

황룡을 쏜 장소(射黃龍之所)라 한 데에서 온 말로서, 이 말은 과장되게 아첨하기 위해 꾸며낸 말이다.

나 -《구당서》 지리지 信州[6]

만세통천 원년(696)에 거란의 실활부락(失活部落)이 있는 곳에 설치했으며, 영주도독(營州都督)에 예속되었다. 2년(697)에 청주(靑州)로 옮겨 안치하였다. 신룡(神龍) 초에 되돌아와서 유주도독(幽州都督)에 예속시켰다.

천보 연간(742~756)에 다스리는 현은 1개이고 호수는 414이며 인구수는 1,600이다. 황룡현(黃龍). 주의 치소가 있으며, 범양현(范陽縣)에 붙여 다스렸다.

다 -《요사》 지리지 龍州[7]

용주(龍州) 황룡부(黃龍府). 본래 발해(渤海)의 부여부(扶餘府)이다. 태조가 발해를 평정하고 돌아오다가 이곳에 이르러 죽었는데 황룡(黃龍)이 보인 바 있어서 이름을 바꿨다. 보령(保寧, 요 경종, 969~979) 7년(975)에 (황룡부의) 군장(軍將) 연파(燕頗)가 반란을 일으켜서 부(府)가 폐지 되었다.

개태(開泰, 요 성종, 1012~1021) 9년(1020)에 성(城)을 동북쪽으로 옮겨서 종주(宗州)와 단주(檀州)의 한인(漢戶) 1천 명으로 다시 설치하였다. 주(州) 다섯, 현(縣) 셋을 통할하였다. 황룡현(黃龍縣). 본래 발해 장평현으로, 부리현·좌모현·숙신현을 통합하여 설치했다. (하략)

---

6) 《舊唐書》 卷三十九 志第十九 地理二 河北道 : 信州萬歲通天元年置, 處契丹失活部落, 隸營州都督。二年, 遷於靑州安置。神龍初還, 隸幽州都督。天寶領縣一, 戶四百一十四, 口一千六百。

7) 《遼史》 卷三十八志第八 地理志二 東京道 : 龍州, 黃龍府。本渤海扶餘府。太祖平渤海還, 至此崩, 有黃龍見, 更名。保寧七年, 軍將燕頗叛, 府廢。開泰九年, 遷城於東北, 以宗州、檀州漢戶一千復置。統州五、縣三 : 黃龍縣。本渤海長平縣, 並富利、佐慕、肅愼置。(하략)

《요사》 지리지가 기술한 정보에서 당나라가 거란 실활부락 거주지에 설치한 신주(信州)가 있던 곳은 중경도의 고주(高州)이다.[8] 《무경총요》 북번지리 중경사면제주(中京四面諸州)에 고주(高州) 역시 제시돼 있는데 당나라가 설치한 신주 관련 정보는 기술돼 있지 않다. 다만 《무경총요》 북번지리 고주 조의 기술 내용[9]은 《요사》 지리지 중경도 고주 조의 것과 비교적 일치하고 있다. 요 중경도 고주는 중국 사학계에 의해 현 내몽골 적봉시(赤峯市) 동북쪽 인근에 비정[10]돼 있다.

그런데 《무경총요》 북번지리가 신주를 기술하면서 정작 신주를 기술하지 않고서 당나라 신주 정보에 요나라 동경도 용주의 정보를 뒤섞어 기술한 까닭은 무엇일까? 이는 《무경총요》 북번지리를 기술할 당시에 편찬자가 참고한 자료 가운데에 거란이 용주(龍州)를 설치한 사실이 담겨있었고, 편찬 과정에서 이를 신주(信州)의 것과 혼동한 데에 따른 것으로 추정할 수 있다. 그렇다면 그 혼동은 어디에서 기인한 것일까? 이는 용주가 처음에 설치될 때에 신주[11]의 동북쪽 부근에 설치됐다가 점차 훗날에 안착한 위치인 현 장춘시 농안현 일대로 옮겨갔기 때문으로 추정할 수 있다. 신주는 《금사》 지리지 근거 1018년에 설치됐으며, 용주는 《요사》 지리지 근거 1020년에 설치됐다.

---

8) 《遼史》 卷三十九志第九 地理志三 中京道 : 高州, 觀察。唐信州之地。萬歲通天元年, 以契丹室活部置。開泰中, 聖宗代高麗, 以俘戶置高州。有平頂山、灤河。屬中京。統縣一 : 三韓縣。辰韓為扶餘, 弁韓為新羅, 馬韓為高麗。開泰中, 聖宗伐高麗, 俘三國之遺人置縣。戶五千。

9) 《武經總要前集》 邊防一下 北蕃地理 : 高州, 契丹收新羅諸國俘虜人民, 置州以居之, 仍置倚郭一縣, 以三韓為名。

10) 『바이두백과』 高州, 『중문위키백과』 高州(內蒙古), 『중국역사지도집』 중경도(中京道)

11) 신주(信州)는 현 길림성 공주령시(公主嶺市)에 비정돼 있다.

한편, 《무경총요》 북번지리 동경사면제주는 《요사》 지리지에서 요 중경도에 속한 금주(錦州)·엄주(嚴州)·습주(隰州)를 동경 소속으로 제시하고 있는데, 중경사면제주(中京四面諸州)에서는 오히려 요 동경도에 속한 해북주(海北州)·목주(穆州)·요서주(遼西州)[12]를 중경 소속으로 제시하고 있다. 요서주(遼西州)는 《요사》 지리지에 따르면 요 세종이 설치했으며, 현주(顯州)에 예속돼 있었다.[13] 해북주(海北州)는 《요사》 지리지에 따르면 역시 요 세종이 설치했으며, 건주(乾州)에 예속돼 있었다.[14] 목주(穆州)의 경우 《무경총요》 북번지리는 현 북표시(北票市) 동쪽, 의무려산과 부신시(阜新市)의 서북부에 제시[15]하고 있는데 《요사》 지리지는 현 봉황시(鳳凰市)에 있었던 개주(開州)의 속주(屬州)로서, 개주 서남쪽 120 리 경에 있는 것으로 기술[16]하였다.

중경도(中京道)는 요 성종 통화 23년(1005)에 궁실 등에 대한

---

12) 《무경총요》 북번지리에서 요서주는 북백천주(北白川州)로 잘못 제시돼 있으며, 그 연혁을 기술함에 있어서 요주(遼州)의 연혁을 뒤섞어서 잘못 기술하고 있다. 그러나 그 위치에 대한 기술은 비교적 정화하다. 요서주는 현 의현(義縣) 동남쪽, 대릉하 東岸의 왕민둔촌(王民屯村)에 비정돼 있다. 《武經總要前集》 邊防一下 北蕃地理 : 北白川州, 遼州遼隧縣故地, 宋天禧中契丹建為州, 仍曰始平軍。東至乾州百二十里, 西北至宜州四十里, 南至海二百里, 北至中京五百五十里, 北至醫巫閭山八十里。

13) 《遼史》 卷三十八志第八 地理志二 東京道 : 遼西州, 阜城軍, 中, 刺史。本漢遼西郡地, 世宗置州, 隸長寧宮, 屬顯州。統縣一 : 長慶縣。統和八年, 以諸宮提轄司大戶置。

14) 《遼史》 卷三十八志第八 地理志二 東京道 : 海北州, 廣化軍, 中, 刺史。世宗以所俘漢戶置。地在閭山之西, 南海之北。初隸宣州, 後屬乾州。統縣一 : 開義縣。

15) 《武經總要前集》 邊防一下 北蕃地理 : 穆州, 東至醫巫閭山, 西至中京四百里, 南至醫巫閭山寨, 北至酒糟河。

16) 《遼史》 卷三十八志第八 地理志二 東京道 : 穆州, 保和軍, 刺史。本渤海會農郡, 故縣四 : 會農、水歧、順化、美縣, 皆廢。戶三百。隸開州。東北至開州一百二十里。統縣一 : 會農縣。

토목공사를 시작하여 공사가 완료된 25년에 비로소 설치[17]되었는데, 중경대정부의 대다수 직속현은 개태 2년(1013)에 이르러서야 설치[18]되었고, 개태 연간(1012~1021)에 중경도 소속의 여러 주가 신설되면서 체계가 잡혔다.

《무경총요》 북번지리 동경사면제주(東京四面諸州) 20 곳 가운데에 편찬 연도인 1044년 기준 가장 최근에 신설된 주로서의 정보가 신주(信州)와 용주(龍州)인 사실, 《요사》 지리지에서 중경도에 속한 금주(錦州)·엄주(嚴州)·습주(隰州)가 동경 관할로, 동경도에 속한 해북주(海北州)·목주(穆州)·요서주(遼西州)가 중경 관할로 구분돼 제시된 사실에서 다음 세 가지 결론을 도출할 수 있다.

첫째, 요 동경도의 초기 관할지는 훗날 중경도 관할이 되는 금주(錦州)·엄주(嚴州)·습주(隰州) 등지까지 포괄한 것으로 추정[19]

---

17) 《遼史》 卷三十九志第九 地理志三 中京道 : 奚長可度率衆內附, 力量饒樂都督府。咸通以後, 契丹始大, 奚族不敢復抗。太祖建國, 舉族臣屬。聖宗嘗過七金山土河之濱, 南望雲氣, 有郛郭樓閥之狀, 因議建都。擇良工於燕、薊, 董役二歲, 邦郭、宮掖、樓閣、府庫、市肆、廊廡, 擬神都之制。統和二十四年, 五帳院进故奚王牙帳地。二十五年, 城之, 實以漢戶, 號曰中京, 府曰人定。

18) 《遼史》 卷三十九志第九 地理志三 中京道 : 統州十、縣九 : 大定縣。白鞮故地。以諸國俘戶居之。長興縣。本漢賓從縣。以諸部人居之。富庶縣。本漢新安平地。開泰二年析京民置。勸農縣。本漢賓從縣地。開泰二年析京民置。文定縣。開泰二年析京民置。升平縣。開泰二年析京民置。歸化縣。本漢柳城縣地。神水縣。本漢徒河縣地。開泰二年置。金源縣。本唐青山縣境。開泰二年析京民置。

19) 《속자치통감장편(續資治通鑒長編)》 권 55 송(宋) 진종(真宗) 함평(咸平, 998~1003) 6년(癸卯年), 즉 서기 1003년 조의, 7월 을유(己酉)일 기사는 거란(契丹) 공봉관(供奉官) 이신(李信)이 귀부해 온(來歸) 사실을 전하면서 이신이 보고한 거란의 국내 사정을 서술하였는데 여기서 "유주에서 동쪽으로 평주까지 550 리, (평주에서) 다시 550 리를 가면 요양성에 이르는데, 즉 동경이라 부르는 것이다"라고 하였다. 이를 1125년에 실제 경유함으로써 얻은 도리 정보인 《선화을사봉사금

된다.

둘째, 1040년에 착수하여 1044년에 그 편찬을 완료한 《무경총요》에서 북번지리, 특히 동경사면제주(東京四面諸州)의 지리 정보는 용주(龍州)가 갓 설치된 1020년, 또는 그 직후에 입수한 정보를 가장 최신의 것으로 삼은 것으로 추정된다.

셋째, 《무경총요》 북번지리가 기술한 거란 지리 정보는 1020년 즈음까지 입수된, 여러 시기에 걸친 정보가 취합된 것으로서 여러 모순을 안고 있는데, 이 모순성은 10세기~11세기 초까지의 거란, 그 가운데에서 특히 동경도(東京道) 지역의 변천(變遷)을 파악하는 데에 유효한 정보원(情報源) 역할을 할 것으로 기대된다.

《무경총요》에 나타난 거란 동경(東京)의 위치는 두 곳이 양립(兩立)해 있다. 현 요하(遼河)를 기준하여 그 동쪽의 요양시 백탑

국행정록》을 근거하여 추산하면, 연산부에서 평주 망도현까지 550 리인 것으로 나타나 있다. (요사 지리지 남경도 평주 망도현 조에 따르면 망도현은 노룡현 남쪽 30 리에 있었다) 또한 평주 망도현에서 550 리에 해당하는 지점은 금주(錦州)의 서쪽 140 리 지점으로서, 해운사(海雲寺)와 홍화무(紅花務)의 한 가운데이다. 이 지역은 금주의 속주인 엄주(嚴州) 지역으로서, 《무경총요》 북번지리 엄주 조는 엄주가 금주에서 서쪽으로 170 리에 있다고 하였다. 그런데 이 엄주 지역에 요양성, 즉 동경이 존재한 바가 전혀 없으므로, 1182년에 완성된 《속자치통감장편》보다 125년 후인 1307년에 완성된 《문헌통고》는 이신의 보고 내용을 기술하면서 평주에서 550 리에 동경이라 부르는 요양성이 있다는 《속자치통감장편》의 기술을 "550 리를 가면 옛 요양성(古遼陽城)에 이르는데, 즉 (여기서부터) 경계를 삼아서 동경이라 일컫는 것(即號為界東京者也)이다"라고 고쳐서 적고 있다. 따라서 이러한 사실을 고려하여, 《신화을사봉사금국행정록》의 도리기를 근거하면, 평주 망도현에서 330 리에 위치한 습주(習州)는 제외하고, 550 리에 해당하는 엄주(嚴州)부터는 중경이 건설되기 전까지 본래 동경 관할이었다고 볼 수 있는 것이다.

구 일대와 그 서쪽의 북진시(北鎭市) 부근이 그것이다. 먼저 요하 동쪽, 대체로 요양시 백탑구에 동경을 제시하고 있는 기록을 살펴본 후에 이와 반대로, 요하 서쪽의 북진시 부근에 동경을 제시하고 있는 기록을 심층 분석하여서 동경의 본래 위치에 접근하였다.

요하 동쪽에 제시된 동경

위치	《무경총요》 북번지리	조목
요하 동쪽 (현 요양시 백탑구)	의주에서 동경까지 520 리	의주(宜州)
	동쪽으로 요주(遼州)까지 90 리, 다시 390 리에 동경	현주(顯州)
	서북쪽으로 현주(顯州)까지 300 리	동경(東京)
	서쪽으로 요하(遼河)까지 150 리	동경(東京)
	동남쪽으로 동경까지 50 리 (서남쪽의 오기로 볼 경우)	암주(巖州)
	암주(巖州)가 그 동쪽에 있다	동경(東京)
	서남쪽으로 동경(東京)까지 130 리	심주(沈州)
	북쪽으로 심주(沈州)까지 120 리	동경(東京)

의주(宜州)와 동경

《무경총요》 북번지리 의주(宜州) 조는, "의주는 본래 옛 연군성(燕郡城)으로서, 가탐(賈耽)[20]의 황화사달기(皇華四達記) 기술과 거란지도(契丹地圖)를 비교해 보니 의주에서 안동도호부 치소가 있던 동경까지 520 리로서 대체로 두 자료의 정보가 일치한다"[21] 하였다. 즉 가탐의 황화사달기는 연군성에서 안동도호부까지 '약 500 리(五百里)'라고 했는데 거란지도는 의주에서 동경까지 520 리를 제시하고 있어서 대체로 일치한다는 것이다.

---

20) 중국 당나라 시대 정치가. 재상(宰相). 730년 출생, 805년 사망.

21) 《武經總要前集》 邊防一下 北蕃地理 : 宜州, 按《皇華四達記》: 營州東北八十里, 凡九遞至燕郡城, 自燕郡東經汝羅守捉, 渡遼州十七驛, 至安東都護府, 約五百里。今以契丹地圖校, 至東京五百二十里。東京, 即安東都護治所, 州城即古之燕郡城是也。本遼之西地, 漢魏間烏桓鮮卑所據, 在營州之東, 契丹置崇儀軍節度。舊有江南水軍, 號通吳軍, 置營居之。東至醫巫閭山, 西至霸州二百里, 南至錦州九十里。

의주는 현 금주시(錦州市) 의현(義縣)에 있었다. 북번지리는 현주(顯州) 조에서 기술하길, 현주에서 의주까지 '서쪽으로 120 리'라고 했다.[22] 현주는 현 북진시에 있었다. 한편 북번지리 동경(東京) 조는 동경에서 현주에 이르는 2 개의 도리(道里)가 제시돼 있다. 그 중 하나는 '(동경에서) 서북쪽으로 300 리'로서 이는 동경이 있던 현 요양시 백탑구에서 정서(正西)로 요중현(遼中縣)을 거쳐 요하를 건너서 소택지(沼澤地)를 직통(直通)하여 흑산현에 도달한 후에 현주가 있던 북진시에 이를 때에 그 거리에 대체로 부합한다. 그러나 우선 소택지를 직통해야 하는 경로이고, 또한 이와 같거나 유사한 도리가 다른 문헌에서는 관찰되지 않는 데에 맹점이 있다. 역대 문헌에서 요하를 사이에 두고서 요양과 북진의 최단 거리가 제시된 것은 《독사방여기요(讀史方輿紀要)》 산동8(山東八)의 요수(遼水) 조로서, "요양~광녕 총 360 리(遼水司西百六十里又西距廣寧衛二百里)"로 나타나 있다. 따라서 북번지리 동경 조의 동경~현주 간 三百里는 三百○○里, 또는 四百里의 오기(誤記)로 판단된다.

다른 하나는 동경에서 요하를 서쪽으로 건너서 소택지의 남쪽을 경유하여서 건주(乾州)에 이르는 경로인데 총 420 리[23]이다. 건주(乾州)는 애초 현주(顯州)를 분할하여 설치한 까닭에 현주와 아주 가깝게 붙어 있었다. 북번지리 현주 조는 건주가 현주 남쪽 7 리에 있다(南至乾州七里)고 했으며, 건주 조는 현주가 건주 동쪽 8

---

22) 《武經總要前集》 邊防一下 北蕃地理 : 顯州, 本渤海國, 按《皇華四達記》: 唐天寶以前, 渤海國所都顯州, 後為契丹所並。又有集康二州, 並撥屬本州。東至遼州九十里, 又三百九十里至東京, 西至宜州百二十里, 南至乾州七里, 北至醫巫閭山。

23) 《武經總要前集》 邊防一下 北蕃地理 東京 條 : 西六十里至鶴柱館又九十里至遼水館又七十里至閭山館在醫巫閭山中又九十里至獨山館又六十里至唐葉館又五十里至乾州

리에 있다(東至顯州八里)고 했다. 또한 의무려산(醫巫閭山) 조는 현주와 건주가 서로 7 리 떨어져 있다(又置乾州顯州在山之南二州相去七里)고 기술했다. 그런데 《독사방여기요(讀史方輿紀要)》 산동8(山東八) 광녕위(廣寧衛) 조는 요양시 백탑구에 있었던 명 요동도사성과 본래 요나라 시기 현주였던 광녕위의 거리가 420 리라고 기술[24]하고 있어서 요양시 백탑구와 광녕위(요 현주)의 거리가 북번지리 동경 조가 기술한 동경~건주 거리와 일치함이 확인되는 까닭에 《무경총요》 북번지리에 나타난 건주와 현주의 7~8 리 리수 차는 무의미해 보인다. 애초 건주는 현주의 남쪽 땅을 떼어서 설치한 것이므로 두 주는 한 장소라고 할 정도로 지근에 상접하여 있었던 것이다.

이 남쪽 경로는 중간 경유지가 구체적으로 제시돼 있고, 후대 문헌의 동일경로 이정(里程)과 일치하는 것이 확인되는데, 북번지리 현주 조가 기술한 '의주~현주 120 리'를 더하면 540 리로서 의주 조가 기술한 '의주~동경 520 리'와 20 리의 차이가 있다. 그러나 20여 리의 차이는 소택지 남쪽의 경유지의 변화, 또는 소택지에 연접한 불안정한 도로 사정을 감안해 볼 때에 충분히 수긍할 수 있는 수이다. 즉 북번지리 의주 조의 '의주에서 동경까지 520 리'를 근거할 때에 요 동경은 현 요양시 백탑구에 있었음이 판단된다.

현주(顯州)와 동경

북번지리 현주 조는 현주에서 '동쪽으로 요주(遼州)까지 90 리,

24) 《讀史方輿紀要》 卷三十七 山東八 : 廣寧衛司西四百二十里西至山海關五百八十里西南至廣寧中屯衛百八十里東南至海州衛二百四十里南至海百三十里

다시 390리를 가면 동경에 이른다'고 하였고, 동경 조는 동경에서 '서북쪽으로 현주까지 300 리'라고 하였다. 동경 조 기술의 경우 앞에서 거론한 바대로 三百里는 三百○○里, 또는 四百里의 오기로 판단되며, 현주 조 기술의 경우 요주의 위치가 과연 현주 동쪽 90 리였는가 하는 문제가 걸리므로 그 거리 수의 오기 여부에 대한, 이 장의 논의 주제를 벗어난 복잡한 분석이 요구된다.

분명한 것은, 현주 조와 동경 조 양자가 상대의 위치를 '동'과 '서북'으로 제시하고 있는바 현주가 있었던 현 북진시를 기점으로 할 때에 동경의 위치가 요하 동쪽에 있었음이 판단된다.

요하(遼河)와 동경

북번지리에는 요수, 요하, 소요수, 대요수 등 여러 명칭과 기술이 등장하는데 동경 조의 '서쪽으로 요하까지 150 리' 기술만을 놓고 보면 여기서의 동경은 분명히 현 요양시 백탑구 지역이다.

'서쪽으로 요하까지 150 리'는 그 뒤에 이어지는, 동경에서 중경까지의 이정(里程)을 서술하는 내용에서 "서쪽(西)으로 60 리에 학주관(鶴柱館), 다시 90 리에 요수관(遼水館)"의 기술에 합치한다.

암주(巖州)와 동경

북번지리 암주 조는 '동남쪽으로 동경까지 50 리'라고 하였고, 동경 조는 '암주가 동쪽에 있다'고 하였다. 암주 조의 동남쪽을 서남쪽의 오기로 판단하면 암주와 동경의 위상이 일치하는데 양자의 위상은 현 요양시 백탑구와 백암성(사학계 통설 비정지)의 위상에 또한 부합한다.

심주(沈州)와 동경

북번지리 심주 조는 '서남쪽으로 동경까지 130 리'라고 하였고, 동경 조는 북쪽으로 심주까지 120 리'라고 하였다. 이 리수는 후대 다른 문헌이 제시한 리수와 일치한다.

출전		里程	편찬 시기
《무경총요》 북번지리	심주(沈州)	130 리	11세기
	동경(東京)	120 리	
《석근지(析津志)》 천하참명(天下站名)		120 리	14세기
《독사방여기요(讀史方輿紀要)》 산동8(山東八)		120 리	17세기

방위와 리수에 따른 심주와 동경의 위상이 현 심양과 요양의 위치에 부합하므로 북번지리의 이들 기술에서의 동경이 현 요양시 백탑구에 제시돼 있음을 판단할 수 있다.

요하 서쪽에 제시된 동경

앞서 《무경총요》 북번지리에 나타난 두 곳의 동경 위치 가운데에서 요하 동쪽에 해당하는 기술을 검토하였다. 이로써 동경의 위치 두 곳 가운데에서 한 곳이 요하 동쪽, 구체적으로 사학계 통설이 동경의 위치를 고정한 요양시 백탑구 일대임이 분명해졌다. 그러나 북번지리는 이 일대보다 오히려 요하 서쪽, 구체적으로 북진시, 또는 그 부근에 동경을 제시하는 경향성(傾向性)이 비교적 강하게 관찰된다.

현 북진시 일대에 제시된 동경의 위치는 《무경총요》 북번지리의 여러 기술 가운데에서 요수(遼水)와 압록수(鴨綠水) 관련 기술을 열쇠로 삼아서 심층적으로 접근할 수 있다.

요수(遼水)로 본 동경의 위치

《무경총요》 북번지리 동경 조는 그 서두에 다음과 같이 적었다.

> **동경은 요동의 안시성이다. 성의 동쪽에는 즉 대요하가 있고, 성의 서쪽에는 즉 소요하가 있다.[25]**

북번지리에서 요수[26]는 다음과 같이 두 곳이 제시돼 있으며, 이에 따라 동경 역시 두 곳으로 고려된다.

---

25) 《武經總要前集》 邊防一下 北蕃地理 : 東京, 遼東安市城也。城之東即大遼河, 城之西即小遼河。

26) 하(河)와 수(水)는 통용자이므로, 소요하와 소요수, 대요하와 대요수는 같은 말이다.

지명	기술 내용	대상(현 위치)	
흥중부	요하(遼河)까지 동쪽으로 300 리[27]	300 리로 볼 경우	대릉하
		二百의 誤記로 볼 경우	대릉하
		四百의 誤記로 볼 경우	없음
해북주	요하(遼河)의 서쪽에 있다[28]	대릉하	
십삼산	서쪽에는 소요수(小遼水)가 있다[29]	대릉하	
소요수	동경(國)[30]의 서쪽에서 천량수와 모인다[31]	대릉하	
종주	동쪽으로 요수(遼水)에 이른다[32]	요하	
한주	서쪽으로 요하(遼河)까지 60 리이다[33]	요하	
심주	동쪽[34]으로 대요수(大遼水)에 이른다[35]	요하	
요주	서쪽으로 대요(大遼)에 이른다[36]	요하	

27) 《武經總要前集》 邊防一下 北蕃地理 : 東至遼河三百里, 西至中京三百里, 西南至建州六十里, 北至湟水四百里舊契丹界, 西北至松陘嶺百里, 東南至安東都護府二百七十里, 號平壤城, 東北至白川州七十里。

28) 《武經總要前集》 邊防一下 北蕃地理 : 海北州, 古城也, 在遼河之西, 滄海之北, 阿保機建為州。東至錦州八十里, 南至海百二十里, 西北至中京五百三十里。

29) 《武經總要前集》 邊防一下 北蕃地理 : 十三山, 北醫巫閭山, 南距大海, 東至東京, 西小遼水。

30) 國은 국가뿐만 아니라 지역, 도읍, 중심지를 뜻한다. 따라서 여기서는 동경을 뜻함을 알 수 있다.

31) 《武經總要前集》 邊防一下 北蕃地理 : 小遼水, 源出遼山西南。流與天梁水會, 在國西也。

32) 《武經總要前集》 邊防一下 北蕃地理 : 宗州, 在石熊山之陽, 管熊山一縣, 古遼東之地。東至遼水, 南至顯州一百里, 北至潢水。

33) 《武經總要前集》 邊防一下 北蕃地理 : 韓州, 在三韓之地, 本州海西北邊之邑, 舊有三州, 契丹並為韓州。東北至生女真界, 西北至惠州九

흥중부(興中府) 조는 흥중부에서 "동쪽으로 요하까지 300 리"[37]라고 기술했는데, 의주 조에서는 의주에서 "서쪽으로 패주까지 200 리"라고 했다. 패주(霸州)는 흥중부의 본래 이름이다. 흥중부는 현 조양시 쌍탑구(雙塔區) 중서부 대릉하 서안(西岸)에 있었고, 의주는 현 금주시 의현에 있었다. 따라서 이를 종합하면 흥중부 조에서 언급한 '요하'는 의주, 즉 현 의현에서 100 리 떨어져 있는 강인 셈이다. 의주 조는 의주에서 "남쪽으로 금주(錦州)까지 90 리"라고 했고 금주 조는 "북쪽으로 의주까지 120 리"[38]라고 하여서 의주와 금주의 거리가 '120 리'로 교감된다. 이를 종합하면 흥중부에서 동쪽 300 리에 있다 한 '요하'는 현 요하가 아님이 분명하며, 이 거리는 대체로 현 대릉하 하류 유역까지의 거리에 상당하다. 만약 흥중부 조의 '300 리'에서 三이 二의 오기[39]라고 본다면 더욱 대릉하에 부합한다.

해북주(海北州) 조는 해북주가 "요하의 서쪽, 창해의 북쪽에 있는 옛 성"이라고 기술했다. 해북주는 후진(後晉)의 출제(出帝) 석

十里, 西至遼河六十里, 南至通八十里。

34) 동쪽을 서쪽으로 校勘할 경우

35) 《武經總要前集》 邊防一下 北蕃地理 : 沈州, 德光所建, 仍曰昭德軍, 契丹舊地也。東至大遼水, 水東即女真界, 西南至東京百三十里, 北至雙州八十里。

36) 《武經總要前集》 邊防一下 北蕃地理 : 耀州, 地控新羅界, 胡中要害之地。東至鴨綠江女真界, 西至大遼, 南至石城, 北至東京百五十里。

37) 본래 흥중부 조의 이 기술은 《무경총요》의 편찬기자가 《통전》 권178 유성군(柳城郡) 조를 참고한 것인데, 유성군 조의 "東至遼河四百八十里"에서 480 리를 300 리로 고쳐서 적었다.

38) 《武經總要前集》 邊防一下 北蕃地理 : 錦州, 遼西之地, 南至大海, 北距柳城, 阿保機建為州, 今號臨海軍。東至顯州二百里, 西南至嚴州百七十里, 南至大海三十里, 北至宜州百二十里。

39) 한편, 四의 오기로 본다면 의무려산 산중에 해당하여서 그 위치에 해당하는 하천이 존재하지 않게 된다.

중귀(石重貴)가 후진 개운(開運) 4년, 요(遼) 회동(會同) 11년(大同 1년)인 서기 947년에 거란에 의해 황룡부로 유배 갈 때에 금주(錦州)와 현주(顯州) 사이의 중간 경유지였다.[40][41] 중국 사학계에서는 해북주를 현 의현(義縣) 남쪽 40 리 경에 있는 칠리하진(七里河鎮) 일대에 비정[42]하고 있다. 이 위치는 대릉하의 바로 서안(西岸) 지역이다. 따라서 북번지리 해북주 조의 "요하의 서쪽"에서 이 요하를 현 요하로 볼 여지가 없다. 즉 해북주 조에서 언급한 '요하'는 현 대릉하이다.

십삼산(十三山) 조는 십삼산[43][44]의 북쪽에 의무려산이, 동쪽에 동경이, 서쪽에 소요수가 있다고 했으니 소요수는 대릉하를 가리키고 있음을 분명히 알 수 있다. 그런데 소요수(小遼水) 조는 그 소요수가 요산에서 발원해서 서남쪽으로 흘러서 동경(國)의 서쪽에서 천량수와 합쳐진다고 했다. 의무려산의 북쪽, 부신시 북부에서

---

40) 《新五代史》 卷十七晉家人傳第五 : 自幽州行十餘日, 過平州, 出楡關, 行砂磧中, 飢不得食, 遣宮女、從官, 採木實、野蔬而食。又行七八日, 至錦州, 虜人迫帝與太后拜阿保機畫像。帝不勝其辱, 泣而呼曰 :「薛超誤我, 不令我死!」又行五六日, 過海北州, 至東丹王墓, 遣延煦拜之。又行十餘日, 渡遼水, 至渤海國鐵州。又行七八日, 過南海府, 遂至黃龍府

41) 《契丹國志》 卷之三 太宗嗣聖皇帝 下 : 晉侯自幽州十餘里, 過平州, 沿途無供給, 飢不得食, 遣宮女、從官採木實、野蔬而食。又行七八日, 至錦州, 衛兵迫拜太祖畫像, 不勝屈辱而呼曰 :「薛超悞我, 不令我死。」馮後求毒藥, 欲與晉侯俱自死, 不果。又行五六日, 過海北州, 至東丹王墓, 遣延煦拜之。又行十餘日, 渡遼水, 至渤海國鐵州。又行七八日, 過南海府, 遂至黃龍府。

42) 『중문위키백과』 海北州, 『중국역사지도집』 요 동경도

43) 『바이두백과』에 따르면 십삼산은 금주시 동쪽 75 리에 있다.(十三山位于锦州凌海市东七十五里)

44) 십삼산(十三山)은 조선후기 연행록(燕行錄)에 십산산(十三山), 석산참(石山站), 석삼산(石森山) 등의 지명으로 빠짐없이 등장한다. 구체적 위치는 현 요녕성 금주(錦州) 능해시(凌海市) 석산진(石山鎮) (동)북쪽의 '석산(石山)'과 그 줄기이다.

발원하여 의무려산의 여러 물줄기를 받으며 서남쪽으로 흘러서 현 금주시 의현(義縣)의 동쪽에서 대릉하에 합류하는 세하(細河)가 있다. 이 세하와 대릉하 하류를 하나의 물줄기, 즉 소요수로 보면 이 물줄기에 합쳐지는 천량수는 서쪽에서 흘러오는 대릉하 본류가 된다. 대릉하 본류와 세하(~대릉하 하류)는 의현 동쪽, 의무려산 서쪽에서 합쳐진다. 따라서 여기서 십삼산의 동쪽에 있는 동경, 소요수와 천량수의 합류지점 동쪽에 있는 동경은 현 북진시 외에 다른 곳을 고려할 수 없다.

이상으로써 《무경총요》 북번지리의 흥중부·해북주·십삼산·소요수 조의 요하와 소요수가 현 요하가 아니라 세하-대릉하 물줄기를 가리키고 있음을 확인하였다.

한편 종주(宗州)·한주(韓州)·심주(沈州)·요주(耀州) 조에서 제시한 요수·요하·대요수·대요는 종주가 부신시 대판진(大板鎮) 부근, 한주가 철령시 창도현(昌圖縣) 팔면성(八面城) 일대, 심주가 심양시 대동구(大東區) 남부, 요주가 대석교시 악주촌(嶽州村)에 치소를 두고 있었으므로 현 요하에 해당한다.

북번지리는 거란 동경도의 판도에서 요수를 두 곳 제시하고 있는 것인데, 세하-대릉하 물줄기는 소요수, 요하는 대요수로 이해할 수 있을 것이다. 동경 조는 동경의 "동쪽에 대요하, 서쪽에 소요하가 있다"고 했으니 현 사학계의 동경 비정지인 요양시 백탑구는 이 기술에서의 동경이 될 수 없다. 소요수와 대요수, 즉 세하-대릉하 물줄기와 현 요하 사이에 있다고 한 이 동경은 결국 현 북진시 외에는 다른 곳을 고려할 수 없다.

송·원대 이후 현 동요하~요하를 대요수로, 현 혼하를 소요수로 고정하여 보는 인식[45]이 굳어졌고, 이것이 오늘날에 통설이 돼 있으나 이러한 통설로써 보더라도 현 요양시 백탑구가 요하와 혼하의 사이에 있지 않으므로 북번지리 동경 조의 서두가 제시한 동경과 어긋난다.

압록수(鴨綠水)로 본 동경의 위치

압록수(鴨綠水)를 기준하여 볼 때에, 앞서 살펴본 요수(遼水)를 기준한 고찰과 마찬가지로 《무경총요》 북번지리가 기술한 동경의 위치는 사학계 통설의 요 동경 비정지인 요양시 백탑구 일대가 아니다. 북번지리에서 동경(東京)과 관련하여 구체적 리수(里數)와 함께 제시된 압록수 기술이 동경 조와 압록수(鴨綠水) 조 두 곳에 있다.

그런데 해당 두 조목의 전체 기술은 그 조목 안에서 자체적으로 상충되거나 모순성을 띠고 있다. 따라서 압록수를 열쇠로 삼아 동경의 위치를 논하기 위해서는 각 조목을 세분하여 따져볼 필요가 있다.

동경(東京)

우선 《무경총요》 북번지리 동경(東京) 조 전체 기사[46]를 세분

---

45) 관련 사실은 본인의 연구 「墜理圖로 본 高麗·遼의 分界와 高麗西北界의 蓋然性」에서 깊이 다루었음

46) 《武經總要前集》 邊防一下 北蕃地理 東京 條 : 東京, 遼東安市城也。城之東即大遼河, 城之西即小遼河。秦屬遼東郡, 漢屬幽州, 唐太宗平高麗, 因名所幸山為駐蹕山, 山在東北。後為渤海國, 契丹建為遼州, 得其地為東京。巖州在其東, 即李績所平白巖州也。《皇華四達記》曰 : 自安東府東南至平壤城八百里, 西南至都里海口約六百里, 西

하면 다음과 같다.

① 동경(東京)은 요동(遼東)의 안시성(安市城)이다. 동경성(城)의 동쪽은 즉 대요하(大遼河), 서쪽은 즉 소요하(小遼河)이다.

② 진(秦)나라에서는 요동군(遼東郡)에 속했고, 전한(漢)에서는 유주(幽州)에 속했다. 당 태종(太宗)이 고구려(高麗)를 평정하면서 다녀간 산이라 하여서 주필산(駐蹕山)이라 하였는데, 동경성의 동북쪽에 있다.

③ 훗날 발해국(渤海國)이 차지했다가 (다시) 거란(契丹)이 차지하여 요주(遼州)를 세웠고, 이 요주 땅을 얻어(得其地) 동경(東京)으로 삼았다.

④ 암주(巖州)가 그 동쪽에 있는데, 즉 이적(李績)이 평정한 곳인 백암주(白巖州)이다.

⑤ (가탐의) 황화사달기(皇華四達記)에서 말하길, "안동부(安東府) 동남쪽으로 평양성(平壤城)까지 800 리, 서남쪽으로 도리해구(都里海口)까지 약 600 리, 서북쪽으로 건안성(建安城)까지 약 300 리, 정남쪽에서 다소 동쪽으로 치우친 방향으로 압록강(鴨綠江) 북쪽 박(泊, 박작성)까지 약 700 리"라 하였는데 지금 거란지형도(契丹地形圖)를 참교(參校, 참고하여 비교)하니 다만 성까지 어디로 어떻게 도달하는지 처소를 알기 어려운데 기타 지형(地形)의 멀고 가까움은 대략 동일하다.

北至建安城約三百里, 正南微東至鴨綠江北泊約七百里。今以契丹地形圖參校, 惟達安城不知處所, 其他地形遠近率同也。東至熟女真界約五百里, 西至遼河百五十里, 又八百八十里至中京, 西六十里至鶴柱館, 又九十里至遼水館, 又七十里至閭山館, 在醫巫閭山中, 又九十里至獨山館, 又六十里至唐葉館, 又五十里至乾州；微北六十里至楊家寨館, 又五十里至遼州；北六十里至宜州, 又百里至牛心山館, 在牛心山北中, 又六十里至霸州, 又七十里至建安館, 又五十里至富水、會安至中京三驛程, 各去七十里；南至平州五十里, 自平州至幽州五百五十里；北至沈州百二十里；東南至鴨綠水九百里；西南至錦州四百里；東北至黃龍府七百里；西北至顯州三百里。

⑥ 동쪽으로 숙여진(熟女眞) 지역(界, 경계)까지 약 500 리이고,

⑦ 서쪽으로 요하(遼河)까지 150 리이며, 다시 880 리를 가면 중경(中京)에 이르는데, 서쪽으로 60 리에 학주관(鶴柱館), 다시 90 리에 요수관(遼水館), 다시 70 리에 의무려산(醫巫閭山) 산중에 있는 여산관(閭山館), 다시 90 리에 독산관(獨山館), 다시 60 리에 당엽관(唐葉館), 다시 50 리에 건주(乾州), 다소 북쪽으로 60 리에 양가채관(楊家寨館), 다시 50 리에 요주(遼州, 요서주), 북쪽으로 60 리에 의주(宜州), 다시 100 리에 우심산(牛心山) 북쪽 산중에 있는 우심산관(牛心山館), 다시 60 리에 패주(霸州), 다시 70 리에 건안관(建安館), 다시 50 리에 부수(富水), (길이) 이에 곧 중경(中京)의 3 역정(三驛程)으로 모이는데, (역정의) 각 거리는 70 리이다.

⑧ 남쪽으로 평주(平州)까지 50 리, 평주(平州)에서 유주(幽州)까지 550 리이다.

⑨ 북쪽으로 심주(沈州)까지 120 리,

⑩ 동남쪽으로 압록수(鴨綠水)까지 900 리,

⑪ 서남쪽으로 금주(錦州)까지 400 리이다.

⑫ 동북쪽으로 황룡부(黃龍府)까지 700 리,

⑬ 서북쪽으로 현주(顯州)까지 300 리이다.

① 이 내용은 앞서 요수(遼水) 편에서 검토하였다. 북번지리에서 소요하는 현 세하-대릉하, 대요하는 현 요하에 해당하며, 이에 요수로 본 동경의 위치가 현 북진시, 또는 그 부근에 상당함을 확인하였다.

② 주필산(駐蹕山)이 동경의 동북쪽에 있다고 하였는데, 《요사》

지리지 동경도 서두에서 주필산이 언급돼 있으나 그 위치에 대한 구체적 서술이 없으며[47], 《금사》 열전 호십문전에는 주회산(駞回山)으로 언급돼 있으나 그 대략적 위치가 동경 근처인 정황만 알 수 있을 뿐 역시 구체적 위치가 제시돼 있지 않다.[48] 그런데 그 후대 문헌인 《명일통지》[49]·《요동지》[50]·《전요지》[51]·《독사방여기요》[52] 등은 요양(遼陽) 부근의 산(山) 가운데에서 당 태종의 고구

---

47) 《遼史》 卷三十八志第八 地理志二 東京道 : 駐蹕山, 唐太宗征高麗, 駐蹕其顛數曰, 勒石紀功焉, 俗稱手山, 山顛平石之上有掌指之狀, 泉出其中, 取之不竭。

48) 《金史》 列傳第四 : 胡十門者, 曷蘇館人也。父撻不野, 事遼為太尉。胡十門善漢語, 通契丹大小字, 勇而善戰。高永昌據東京, 招曷蘇館人, 眾畏高永昌兵彊, 且欲歸之。胡十門不肯從, 召其族人謀曰 :「吾遠祖兄弟三人, 同出高麗。今大聖皇帝之祖入女直, 吾祖留高麗, 自高麗歸于遼。吾與皇帝皆三祖之後。皇帝受命即大位, 遼之敗亡有征, 吾豈能為永昌之臣哉 !」始祖兄阿古乃留高麗中, 胡十門自言如此, 蓋自謂阿古乃之後云。於是率其族屬部眾詣撒改, 烏蠢降, 營於駞回山之下。永昌攻之, 胡十門力戰不能敵, 奔于撒改。及攻開州, 胡十門以糧餉給軍。後攻保州, 遼獎以舟師遁, 胡十門邀擊敗之, 降其士卒。賞賜甚厚, 以為曷蘇館七部孛堇, 給銀牌一、木牌三。天輔二年卒。贈監門衛上將軍, 再贈驃騎衛上將軍。

49) 《明一統志》 卷二十五 : 首山在都司城西南十五里連海州衛界山頂平石之上有掌指之狀泉出其中挹之不竭晉司馬懿圍公孫淵於襄平有星從首山墜城東南即此唐太宗征高麗嘗駐驆其顛數日勒石紀功因改為駐驆山

50) 《遼東志》 卷一 : 首山城西南十五里山頂有泉不竭晉司馬懿圍公孫淵於襄平有星從首山墜城東南即此唐太宗伐高麗嘗駐蹕勒石紀功因改駐蹕山

51) 《全遼志》 卷一 : 首山城西南十五里山頂有泉不竭晉司馬懿圍公孫淵於襄平有星從首山墜城東南即此唐太宗伐高麗嘗駐蹕勒石紀功因改駐蹕山

52) 《讀史方輿紀要》 卷三十七 山東八 : 首山司西南十五里。山連海州衛界, 頂有平石, 泉出其中, 挹之不竭。曹魏景初二年, 司馬懿伐公孫淵, 潛濟遼水, 進至首山, 大破淵軍, 遂圍襄平。是也。唐貞觀十八年, 征高麗, 車駕度遼水, 軍於馬首山, 即此山矣。或謂之駐蹕山。《唐史》: 駐蹕山在安市城外。《志》云 : 首山一名手山, 以山頂石上有

려 정벌 고사(古事)와 관련된 주필산이 요양 서남쪽에 있는 수산(首山)이라고 기술하였다. 이들 사서가 기술한 수산은 현 요양시 요양현에 있는 首山으로서, 중국 사학계는 요(遼)나라 당시의 주필산을 비정하고 있다.[53] 만약 이 기술에서 '東北'이 '西南'의 오기가 아니라면 기술상의 주필산 위치를 근거할 때에 이 문장이 제시하는 동경의 위치는 현 요양시 백탑구 일대가 아니라는 사실에 접근할 수 있다.

③ 본래 발해의 땅이었던 곳을 빼앗아서 요주(遼州)를 설치했다가 다시 그 요주 땅에 동경을 건립했다는 이 기술은《요사》전체에서 동경의 연혁을 면밀히 분석하여 보면 가장 사실에 가까운 설명이라는 것을 수긍할 수 있을 것이다. 요주는《요사》지리지 동경도 요주 조의 기술[54]에 따르면 거란이 발해의 영토 가운데에서 가장 먼저 빼앗은 곳이다. 단지 요주 조의 기술은 이러한 요주의 연혁에 발해 동평부와 그 백성이 발해 멸망 후에 이치 및 사민돼 옴에 따라서 발해 동평부의 연혁까지 뒤섞이게 돼서 인식을 오도(誤導)하고 있을 뿐이다. 요주에 설치된 최초의 군호(軍號)는 동쪽을 평정한다는 뜻의 '東平軍 '이었다. 이를 요 태종 때에 가장 먼저 평정했다는 뜻의 '始平軍'으로 개칭하였다. 그런데 요 태조 야율아보기가 요양고성(遼陽故城)을 수리하여 설치한 행정구역 명칭이 '동평군(東平郡)'이었다. 동평군은《요사》본기 상에서 관찰되

文如指掌, 故名。

53)『중국역사지도집』요 동경도 요양부근도

54)《遼史》卷三十八志第八 地理志二 東京道 : 遼州, 始平軍, 下, 節度。本拂涅國城, 渤海為東平府。唐太宗親征高麗, 李世勣拔遼城 ; 高宗詔程振、蘇定方討高麗, 至新城, 大破之 ; 皆此地也。太祖伐渤海, 先破東平府, 遷民實之。故東平府都督伊、蒙、陀、黑、北五州, 共領縣十八, 皆廢。太祖改為州, 軍曰東平, 太宗更為始平軍。有遼河、羊腸河、錐子河、蛇山、狼山、黑山、巾子山。隸長寧宮, 兵事屬北女直兵司馬。統州一、縣二 : 遼濱縣。安定縣。

는, 거란이 발해 지역의 일부를 빼앗아 설치한 행정구역 가운데에, 진동해구(鎭東海口)에 축성한 장성(長城)을 제외하고는 최초의 곳이고, 요주는 《요사》 지리지 동경도에 등재되어 그 연혁과 정보가 기술된 여러 행정구역 가운데에서 거란이 발해의 영토 가운데에 가장 먼저 빼앗은 곳에 설치한 첫 행정구역이다. 따라서 《무경총요》 북번지리 동경 조의 이 기술은 동경의 본래 위치가 요주(遼州)와 밀접하며, 요하 서쪽에 있었음을 암시하고 있다고 판단할 수 있다.

④ 암주가 동경 동쪽에 있었고, 본래 고구려 백암성이었다 한 이 기술은 북번지리 암주 조에서 "동남쪽으로 동경까지 50 리"라고 한 기술과 상응한다. 물론 이는 암주 조의 '東南'이 '西南'의 오기라고 판단한 데에 따른 것이다. 이 기술 자체로서는 동경의 위치가 어느 곳에 있었는지 알 수 없다. 다만 중국 사학계에서 요동경도 암주와 고구려 백암성을 현 요녕성 등탑시(灯塔市) 연주성산성(燕州城山城)에 비정하고 있고, 그 위치가 대체로 《무경총요》의 관련 기술과 일치하는 까닭에 오히려 동경이 현 요양시 백탑구 일대에 있었다 하는 사학계 통설의 한 근거 구실을 할 수 있다. 즉 요양시 백탑구와 등탑시 연주성산성의 위상이 이들 기술에 부합하므로 동경이 현 요양시 백탑구에 있었다는 한 근거 구실을 할 수 있다.

⑤ 황화사달기의 "안동도호부에서 동남쪽으로 평양성까지 800 리", "안동도호부의 정남쪽에서 다소 동쪽으로 압록강 북쪽의 박작성까지 700 리" 등의 기술과 1040년~1044년 《무경총요》 편찬 당시에 비교한 '거란지형도'의 내용이 대략 동일하다는 것은 황화사달기의 지리 정보의 실상이 무엇인지 여부를 떠나서 당시까지 송나라가 입수한 거란 지리 정보 상에 나타난 동경의 위치가 절대

현 요양시 백탑구 일대가 될 수 없음을 시사한다.

⑥ 이 기술은 《거란국지》의 "숙여진오절도에서 서북쪽으로 동경까지 500 리" 기술[55]과 일치한다. 《거란국지》는 다른 사서 및 문헌에서 숙여진, 또는 갈소관(曷蘇館) 등으로 칭하는 집단을 유독 '숙여진오절도', 또는 '오절도숙여진부족'이라고 칭하였다. 《금사》 지리지 갈소관로 조에 따르면, 본래 모처(某處)에 있던 갈소관의 치소(治所)를 1129년에 영주(寧州)로 옮겨서 도통사(都統司)를 두어 다스리다가 1193년에 도통사를 파하고 절도사(節度使)를 두었다고 한다.[56] 영주(寧州)는 현 요녕성 와방점시(瓦房店市) 영안진(永寧鎮) 일대에 있었다. 이곳은 요양에서 400 리 경에 해당하는 위치이다. 따라서 영주로 갈소관의 치소가 옮겨지기 전의 장소가 요양에서 500 리에 해당할 것인데 그 위치는 거리상 대체로 현 대련시 보란점구(普蘭店區) 일대에 상당하다.

《금사》 지리지 갈소관로 조는 또한 갈소관로에 '화성관(化成關)'이 있는데 여진어(國言)로 '갈살한관(曷撒罕關)'이라 한다고 적었다. '갈살한관(曷撒罕關)'에서 '갈살한(曷撒罕)'이 곧 갈소관(曷蘇館)을 달리 적은 말임을 바로 알 수 있다. 한편 금(金)나라 때에는 요(遼)나라 당시 소주(蘇州)였던 곳을 현으로 강등시켜서 화성(化成)이라 이름하였다. 이 '화성' 역시 갈소관·갈살한 등의 동일한 말을 달리 음차(音借)한 것임을 알 수 있다. 《금사》 지리

55) 《契丹國志》 卷之二十二 州縣載記 四至鄰國地里遠近 : 次東南至五節度熟女真部族。共一萬餘戶, 皆雜處山林, 尤精弋獵。有屋舍, 居舍門皆於山牆下闢之。耕鑿與渤海人同, 無出租賦, 或遇北主征伐, 各量戶下差充兵馬, 兵回, 各逐便歸本處。所產人參、白附子、天南星、茯苓、松子、苓、白布等物。並系契丹樞密院所管, 差契丹或渤海人充節度管押。其地南北七百餘里, 東西四百餘里, 西北至東京五百餘里。

56) 《金史》 志第五 地理上 : 曷蘇館路, 置節度使。天會七年, 徙治寧州, 嘗置都統司, 明昌四年廢。有化成關, 國言曰曷撒罕關。

지 복주(復州) 조는 그 속현 두 곳 가운데 한 곳인 화성현(化成縣)을 설명하기를 "요나라 소주였는데 황통 3년(1143)에 현으로 강등시켜서 복주에 예속시켰다가 정우 4년(1216)에 승격시켜서 금주(金州)로 삼았다"고 하였다.[57]

따라서 갈소관은 요나라 때에 소주였던 금나라 금주의 관할 지역에 있었던 것인데, 《무경총요》 북번지리 동경 조의 "동경에서 동쪽으로 숙여진 계(界)까지 500 리"와 《거란국지》 오절도숙여진부족 조의 "숙여진오절도에서 서북쪽으로 동경까지 500 리"에 나타난 숙여진, 즉 갈소관의 위치는 요 소주가 아우르는 지역에서 대체로 복주 지역과 경계를 접한 현 대련시 보란점구 지역을 가리킴을 알 수 있다.

⑦ 이 기술에 나타난 동경의 위치는 현 요양시 백탑구 일대에 잘 부합하며, 기술에 나타난 여러 이정(里程)은 명·청대 문헌에서 요양을 기점으로 삼았을 때의 리수와 대체로 일치한다.

⑧ "남쪽으로 평주까지 50 리, 평주에서 유주까지 550 리"는 동경에서 서쪽으로 요수를 건너서 건주와 의주, 패주(흥중부) 등지를 경유해서 중경에 이르는 도리(道里)를 서술한 문장 뒤에 있다. 그런데 패주(흥중부)에서 부수 → 3개의 역정 → 중경의 경로 상에서 평주까지 50 리는 납득하기 어려운 리수값이다. 이 문장은 뒤에 오는 ⑨ ~ ⑬의 문장이 모두 동경을 기점하여 각 방위에서 도달하는 주요 지역까지의 거리를 제시한 만큼 이 역시 동경을 기점하여 평주와 유주에 이르는 거리를 제시한 것으로 판단된다. 그

57) 《金史》 志第五 地理上 : 化成遼蘇州安復軍, 本高麗地, 興宗置。皇統三年降為縣來屬。貞祐四年五月升為金州, 興定二年陞為防禦。鎮一 歸勝。

러나 이 또한 동경에서 평주까지 "50 리"라는 거리는 전혀 납득할 수 없다. 어찌된 일일까?

우선 보다 상식적 리수인 '평주~유주 550 리'를 검토해보자.

《무경총요》 북번지리 동경 조에서는 평주~유주 간 거리가 550 리라고 기술했으나 북번지리의 다른 조목에 나타난 기술에서 곧바로 그 모순이 드러난다. 북번지리 계주(薊州) 조에서 "동쪽으로 평주까지 300 리, 서쪽으로 유주까지 210 리"라고 기술[58]한 것이다.

이러한 리수(里數)는 《통전》도 마찬가지로서, 권 178에서 옛 기주(古冀州) 지역의 지리정보를 기술하면서 어양군(漁陽郡) 조에서 "북평군(평주)까지 300 리, 범양군(유주)까지 210 리"라고 기술[59]하였다.

《태평환우기》 역시 하북도(河北道) 각 지역의 지리정보를 기술하면서 유주(幽州) 조에서는 "동쪽으로 계주(어양)까지 210 리"라고 기술[60]하였고, 계주 조[61]와 평주 조[62]에서는 각각 계주와 평

58) 《武經總要前集》 邊防一下 北蕃地理 : 薊州漁陽郡, 隋置總管府, 唐開元中分漁陽玉田縣置州。東至平州三百里, 西至幽州二百一十里, 南至海口百八十里, 北至廢長城塞二百二十里, 東南至平州一百八十里, 東北至盧龍戍一百里, 西北至檀州二百七十里。

59) 《通典》 卷一百七十八 : 漁陽郡東至北平郡三百里南至三會海口一百八十里西至范陽郡二百十里北至慶長城塞二百三十五里東南到北平郡石城縣一百八十五里西南到范陽郡安次縣界一百二十五里西北到密雲郡二百一十七里東北到北平郡石城縣界廢盧龍戍二百里去西京二千八百二十里去東京二千二十里戶四千二百二十九口二萬五千四百八十七

60) 《太平寰宇記》 卷六十九 河北道十八 幽州 條 : 南至東京一千二百八十五里。西南至西京一千六百八十五里。西南至長安二千五百四十五里。東至薊州二百一十里。南至莫州二百八十里。西至易州二百一十四里。北至嬀州二百一十里。東南至滄州五百五十里。西南至涿州一

주의 거리가 300 리라고 기술하였다.

그렇다면 북번지리 동경 조의 "평주~유주 간 거리 550 리" 정보는 어디에서 온 것일까? 《무경총요》가 편찬에 들어간 1040년에서 37 년 전인 송(宋) 진종(真宗) 함평(咸平) 6년(六年, 1003)에 송에 귀순한 거란(契丹) 공봉관(供奉官) 이신(李信)이 송나라 조정에 거란의 국내 사정을 보고한 내용에 그 동일한 이정(里程)이 제시돼 있다. 《속자치통감장편》이 권55에 기술된 이신의 보고에서 "그 국경(其國境)은 유주(幽州)에서 동쪽으로 5백 50 리를 가서 평주(平州)에 이르고, 다시 5백 50 리를 가면 요양성(遼陽城)에 이르는데 즉, 이름하여 동경입니다(號東京者也)."[63]한 발언이 그

百二十里。西北至嬀州二百里。東北至順州八十里。

61) 《太平寰宇記》 卷七十 河北道十九 薊州 條：南至東京。缺。西南至西京一千八百九十里。西南至長安二千七百五十里。東至平州三百里。南至會海口一百八十二里。西至幽州二百一十里。北至廢長城塞二百三十五里。東南至平州石城縣二百八十五里。西南至幽州雍奴縣界一百二十五里。西北至檀州二百一十七里。東北至平州石城縣界廢盧龍戍二百里。戍據開皇長城置。

62) 《太平寰宇記》 卷七十 河北道十九 平州 條：南至東京。缺。西南至西京二千一百九十五里。西南至長安三千五十五里。東北至榆關守捉一百九十里，自關東北至營州五百里。南至海二百里。西至薊州三百里。北至上谷八十里。西南至馬城縣一百八十里。西北至石城縣一百四十里。西北至盧龍塞二百里。東北至營州七里。

63) 《續資治通鑑長編》 卷五十五 宋真宗 咸平六年：秋七月己酉，契丹供奉官李信來歸。信言其國中事云：「戎主之父明記，號景宗，後蕭氏，挾力宰相之女，凡四子：長名隆緒，即戎主；次名贊，偽封梁王，今年三十一；次名高七，偽封□王，年二十五；次名鄭哥，八月而夭。女三人：長曰燕哥，年三十四，適蕭氏弟北宰相留住哥，偽署駙馬都尉；次曰長壽奴，年二十九，適蕭氏侄東京留守悖野；次曰延壽奴八，年二十七，適悖野母弟肯頭。延壽奴出獵，為鹿所觸死，蕭氏即縊殺肯頭以殉葬。蕭氏有姊二人，長適齊王，王死，自稱齊妃，領兵三萬屯西鄙驢駒兒河。嘗閱馬，見蕃奴達覽阿勬姿貌甚美，因召侍帳中。蕭氏聞之，縶達覽阿勬，抶以沙囊四百而離之。逾年，齊妃請於蕭氏，願以為夫，蕭氏許之，使西捍達靼，盡降之，因謀帥其觽奔骨歷扎國，結兵以

것이다. 이 발언 내용은 《문헌통고》 거란전에도 수록돼 있으니 "그 나라(其國自)는 유주(幽州)에서 동쪽으로 5백 5십 리를 가면 평주(平州)에 이르고, 다시 550 리를 가면 옛 요양성(古遼陽城)에 이르는데, 즉 여기서부터 경계를 삼아서 동경이라 일컫는 것(即號為界東京者也)입니다."[64]가 그것이다.

따라서 북번지리 동경 조의 "남쪽으로 평주까지 50 리, 평주에서 유주까지 550 리" 기술에서 '평주에서 유주까지 550 리'는 거란 공봉관 이신의 1003년 보고에서 온 정보임을 알 수 있다. 그렇다면 '남쪽으로 평주까지 50 리'는 어떻게 된 것일까? 평주까지 50 리는 이신의 보고에서 평주에서 동경까지의 리수로 제시한 五百五十 에서 五百이 탈락된 오기(誤記)일까?

우선 ⑦의 기술을 보면, "동경에서 요수까지 150 리, 다시 880

篡蕭氏。蕭氏知之, 遂奪其兵, 命領幽州。次適趙王, 王死, 趙妃因會飲置毒蕭氏, 為婢所發, 蕭氏酖殺之。蕭氏今年五十, 自景宗死, 領國事, 自稱太后。國中所管幽州漢兵, 謂之神武、控鶴、羽林、驍武等, 約萬八千餘騎, 其偽署將帥, 契丹、九女奚、南北皮室當直舍利及八部落舍利、山後四鎮諸軍約十萬八千餘騎, 內五千六百常衛戎主, 餘九萬三千九百五十, 即時入寇之兵也。其國境自幽州東行五百五十里至平州, 又五百五十里至遼陽城, 即號東京者也。又東北六百里至烏惹國, 其國用漢文法, 使印八角而圓。又東南接高麗。又北至女真, 東逾鴨江, 即新羅也。」以信為供奉官, 賜器幣、冠帶。

64) 《文獻通考》 卷三百四十六 四裔考二十三 契丹中 : 宋真宗咸平六年七月, 偽供奉官李信來降, 言其國中事云 :「明記四子, 長即隆緒, 次隆慶、隆裕, 幼鄭哥早亡, 國中所管幽州漢兵, 謂之神武、控鶴、羽林、驍武等, 約萬八千餘騎, 其偽署將帥, 契丹、九女奚、南北皮室當直舍利及八部落舍利、山後四鎮諸軍約十萬八千餘騎, 內五千六百餘常衛戎主, 九萬二千九百餘, 即入寇兵也。其國自幽州東行五百五十里至平州, 又五百五十里至古遼陽城, 即號為界東京者也。又京北六百里至烏惹國, 其國用漢文法, 使印八角而圓。又東南接高麗。又北至女真, 東逾鴨江, 即新羅也。」以信為供奉官, 賜器幣、冠帶。

리를 가면 중경에 이른다."하였으므로 동경에서 중경까지는 총 1,030 리이다. 이 문장 다음에는 동경에서 중경까지 이르는 세부 도리(道里)를 제시하고 있다. 동경에서 요수관까지 150 리, 요수관에서 건주까지 270 리이므로 동경에서 건주까지 총 420 리이다. 건주에서 패주(霸州), 즉 흥중부까지 330 리, 흥중부에서 부수(富水)까지 120 리이다. 이를 합하여서 우선 동경에서 부수까지의 거리를 보면 870 리이다. 부수에서 중경까지 160 리가 남은 셈이다. 마지막으로, "이에 곧 중경(中京)의 3 역정(三驛程)으로 모이는데, (역정의) 각 거리는 70 리이다."라고 했으니 부수 다음에 첫 역정이 있는 것으로 치면 210 리가 돼서 부수에서 중경까지 남은 거리를 50 리 상회한다. 따라서 부수에 첫 역정이 있는 것이다. 이에 마지막 역정까지 140 리가 되고, 그 마지막 역정에서 최종 목적지인 중경까지 20 리가 남게 된다. 즉《무경총요》는 동경에서 중경까지 산술적으로 아주 정확하게 그 도리를 제시하고 있다.

그런데 이러한, 정확한 경로 다음에 제시한 '남쪽으로 평주까지 50 리'는, ⑦의 경로가 대릉하 수계를 거슬러 가는 경로이므로, 이 경로에서 이탈하여 남쪽으로 평주, 즉 현 진황도시 노룡현 지역까지 도달하는 거리라고 도저히 볼 수 없는 리수이다. 이는 이 문구의 앞에 탈락된 문구가 있기에 발생한 착오이다.

《무경총요》 북번지리 리주(利州) 조[65]를 보면, "(리주에서) 동쪽으로 가면 건주(建州)까지 120 리, 동북쪽으로 가면 건주(建州)까지 110 리, 서남쪽으로 란주(蘭州)까지 60 리, 남쪽의 소릉하로(小淩河路)에서 평주(平州)까지 50 리, 서북쪽으로 중경(中京)까

65) 《武經總要前集》 邊防一下 北蕃地理 : 利州, 虜承天后所建, 東至建州百二十里, 東北至建州百一十里, 西南至蘭州六十里, 南小淩河路至平州五十里, 西北至中京百五十里。

지 150 리이다."라고 기술돼 있다. 여기서 건주의 서남쪽에 리주가 있음을 알 수 있는데, '남쪽의 소릉하로에서 평주까지 50 리'라고 한 기술이 동경 조의 ⑧ 기술에서 '남쪽으로 평주까지 50 리'와 동일하다. 즉 ⑧의 기술은 리주 조 기술과 동일한 자료에서 도리(道里)를 참고하였는데 그 옮겨서 적는 과정에서 앞의 내용이 탈락된 것으로 추정되는 것이다. 물론 리주는 현 요녕성 객좌현(喀左縣) 일대[66]에 있었기 때문에 리주 조든 동경 조든 '평주까지 50 리'는 사실에 어긋나며, 이들 역시 잘못된 정보를 그대로 옮겼거나 옮기는 과정에서 잘못 적은 것으로 판단된다.

이 기술 "남쪽으로 평주까지 50 리, 평주에서 유주까지 550 리"는 동경의 위치를 알려주는 직간접 정보를 담고 있지는 않으나 북번지리에 수록된 거란(遼)의 지리 정보가 편찬 당시까지 여러 시기에 걸쳐 수집된 각종 정보를 취합한 것으로서, 그 과정에서 여러 오류 또한 담고 있음을 시사한다.

⑨ 이 기술 "동경에서 북쪽으로 심주까지 120 리"는 원·명·청대 모든 문헌과 사서에서 현 요양과 심양 사이의 리수로 동일하게 제시하고 있는 까닭에 이 기술에서의 동경이 현 요양시 백탑구 일대가 아니라고 보기 어렵다.

⑩ 이 기술 "동경에서 동남쪽으로 압록수까지 900 리"는 이 장에서 다루고자 하는 핵심 가운데 하나이다. 현 요양시 백탑구에서 현 압록강 서안(西岸)의 구련성진(九連城鎮)까지 현대 도로에서의 거리는 약 222km이며, 원·명·청대 문헌이 기술한 리수도 540 리가 일반적이다. 따라서 단순 산술로써도 이 기술이 제시하는 동경의 위치가 현 요양시 백탑구가 아님은 분명하다. 이 내용은 아래

66) 『바이두백과』 '利州(遼朝至元朝時期設置的州)'

의, 《무경총요》 북번지리 압록수 조 분석 편에서 종합적으로 다루었다.

⑪ 이 기술 "동경에서 서남쪽으로 금주(錦州)까지 400 리"는 여러 이정(里程) 기록과 상충한다. 우선 북번지리 금주(錦州) 조에서 "동쪽으로 현주(顯州)까지 200 리"라고 했는데 동경 조에서는 동경에서 서쪽으로 (현주에 상접한) 건주까지 중간 경유지를 세세하게 제시하면서 총 420 리라고 기술하였다. 이를 기준하면 현 요양시 백탑구에 있는 동경에서 금주까지 620 리 내외가 돼야 할 것이다. 한편으로 동경 조는 "서북쪽으로 현주까지 300 리"라고 했는데 이를 더하여 봐도 500 리가 되므로 이 역시 상충한다.

이 기술이 제시한, 동경과 금주의 거리가 400 리가 맞다면 현 요양시 백탑구에 있었던 동경에서 건주나 현주가 아닌 다른 경유지를 통해서 가장 최단 거리로서 접근하는 경로가 있었거나 이게 아니라 금주에서 200 리 떨어져 있는 현주에서 다시 200 리 동(북)쪽으로 떨어진 지점에 동경이 위치하고 있어야 한다.

《독사방여기요》는 요나라 당시 금주(錦州)였던 광녕중둔위(廣寧中屯衛)와 요양(遼陽)의 거리가 600 리, 현주가 있었던 광녕위(廣寧衛)까지의 거리가 180 리라고 기술[67]했다. 또한 요양과 광녕위의 거리가 420 리라고 기술[68]했다. 즉 《무경총요》 북번지리 금주 조가 기술한 금주와 현주의 거리 200 리에서 20 리가 단축됐을

---

67) 《讀史方輿紀要》 卷三十七 山東八 : 廣寧中屯衛司西南六百里。東至廣寧衛百八十里, 北至廢興中州百五十里, 西北至故大寧之廢建州百五十里, 西南至寧遠衛百二十里, 南至海岸五十里。

68) 《讀史方輿紀要》 卷三十七 山東八 : 廣寧衛司西四百二十里。西至山海關五百八十里, 西南至廣寧中屯衛百八十里, 東南至海州衛二百四十里, 南至海百三十里。

뿐 전체적으로 동일함을 알 수 있다. 따라서 북번지리 동경 조의 이 기술 "동경에서 서남쪽으로 금주(錦州)까지 400 리"에 제시된 동경은 현 요양시 백탑구 일대가 될 수 없다. 즉 이 기술의 리수가 부정확하거나 현주에서 동(북)쪽으로 200 리 떨어진 지점을 동경으로 제시하고 있다고밖에 달리 말할 수 없다. 현주가 있던 북진시에서 동(북)쪽으로 200 리 가량 떨어진 지점은 현 신민시(新民市) 남부 소교자(小橋子) 부근이다. 현주가 중간기점이 아닐 경우를 상정한다면 요하 최하류 서안의 반금시 고성자촌 부근을 고려할 수 있다. 따라서 '400 리'는 오기일 개연성이 있음을 염두에 둘 수밖에 없다.

⑫ 이 기술 "동경에서 동북쪽으로 황룡부까지 700 리"에 제시된 동경은 현 요양시 백탑구 일대에 있었던 것으로 판단된다. 요나라가 망한 직후인 12세기 《송막기문》의 도리(道里)에서 '심주 → 신주(信州) 북쪽'의 거리는 총 580 리였다.

《송막기문》의 제주 → 심주 里程

원문	경로	이정(리)	
(濟州)四十里至勝州鋪	제주 → 승주포	40	
(勝州鋪)五十里至小寺鋪	승주포 → 소사포	50	
(小寺鋪)五十里至威州	소사포 → 위주	50	
(威州)四十里至信州北	위주 → 신주 북쪽	40	
(信州北)五十里至木阿鋪	신주 북쪽 → 목아포	50	
(木阿鋪)五十里至沒瓦鋪	목아포 → 몰와포	50	
(沒瓦鋪)五十里至奚營西	몰와포 → 해영 서쪽	50	
(奚營西)四十五里至楊相店	해영 서쪽 → 양상점	45	
(楊相店)四十五里至夾道店	양상점 → 협도점	45	580
(夾道店)五十里至安州南鋪	협도점 → 안주 남포	50	
(安州南鋪)四十里至宿州北鋪	안주 남포 → 숙주 북포	40	
(宿州北鋪)四十里至咸州南鋪	숙주 북포 → 함주 남포	40	
(咸州南鋪)四十里至銅州南鋪	함주 남포 → 동주 남포	40	

(銅州南鋪)四十里至銀州南鋪	동주 남포 → 은주 남포	40
(銀州南鋪)五十里至興州	은주 남포 → 흥주	50
(興州)四十里至蒲河	흥주 → 포하	40
(蒲河)四十里至沈州	포하 → 심주	40

또한 심주(훗날의 심양)와 요양(遼陽)의 거리는 요·송(遼宋) 대부터 명·청대까지 역대 문헌에서 일치하여서 대체로 120 리로 나타난다.

따라서 요양~심주 120 리에 심주~신주 북쪽 580 리를 더하면 700 리가 된다. 《무경총요》 북번지리가 기술한 신주(信州) 조의 문제는 앞에서 이미 깊이 다루었는데, 북번지리 신주 조는 요나라 신주의 지리정보를 다루지 않고 당(唐)나라 하북도 신주의 지리 및 연혁 정보를 중심으로 요나라 용주(龍州)의 정보를 뒤섞은 것이다. 이러한 잘못된 기술에 대해서 앞서 본 연구자는 《무경총요》 편찬자가 편찬 과정에서 요나라 신주(信州)와 당나라 신주(信州)가 그 명칭이 동일한 것에서 착오(錯誤)한 것에서 비롯한 것이 분명한데, 용주의 정보가 섞여 들어간 까닭은 애초 용주 황룡부가 설치될 때에 신주(信州)의 북쪽에 붙여서 설치한 후에 차차 혼동강(현 북류 송화강)까지 영역을 개척함에 따라서 장춘시 농안현으로 옮겨가서 최종 안착한 것으로 판단했다.

즉 본 연구자가 사적(史的) 맥락을 통해 추정한 용주 황룡부의 최초 위치와 북번지리 동경 조가 기술한 "동경에서 동북쪽으로 황룡부까지 700 리" 기술이 《송막기문》의 도리(道里) 정보에서 합치하는 것이다. 따라서 이 기술에서의 동경은 현 요양시 백탑구로 판단할 수 있다.[69]

---

69) 그런데 浙江大學圖書館이 소장한 《武經總要前集》 欽定四庫全書本(의 影印本)은 동경에서 황룡부까지 900 리(東北至黃龍府九百里)라고

⑬ 이 기술 "동경에서 서북쪽으로 현주까지 300 리"는 앞에서 이미 논한 바대로 三百里에서 중간 표기가 탈락됐거나 그 자체로 오기(誤記)인 것으로 판단된다. 그러나 西北이라는 방위가 제시돼 있는바 동경은 현주 동쪽, 즉 현 요양시 백탑구 일대로 판단할 수 있다.

이상의 분석 결과로써 《무경총요》 북번지리 동경 조의 전체 기술이 세부적으로 각기 제시한 동경의 위치를 현 요하(遼河)를 기준하여서 동서(東西)로 나누어 정리하면 다음과 같다.

현 요하 기준		
西	東	미상
① ② ③ ⑤ ⑩	④ ⑥ ⑦ ⑨ ⑫ ⑬	⑧ ⑪

압록수(鴨綠水)

《무경총요》 북번지리 압록수 조의 전체 기사는 대체로 《한원(翰苑)》에서 인용한 《고려기(高驪記)》의 서술을 저본(底本)[70]으로 삼고서 거란에서 입수한, 동경을 중심한 압록수 관련 정보를 추가한 형태로 구성돼 있다. 《한원》은 당 고종 현경(顯慶) 5년(660년) 이전에 장초금(張楚金)이 저술한 것으로서 고구려 영토에 대한 권

적고 있다. 《송막기문》의 도리기를 보면 信州 북쪽에서 濟州, 즉 옛 용주황룡부까지 180 리로 나타나 있다. 이를 합하면 '880 리'로서 900 리에 대체로 부합한다. 따라서 이 본의 '900 리'를 근거하여도 역시 동경의 위치는 현 요양시 백탑구로 고증된다.

70) 실제는 《고려기(高驪記)》의 서술을 저본(底本)으로 삼은 《통전(通典)》 권186 고구려전의 기술을 저본으로 하였다. 본 연구자가 분석해 본 바, 《무경총요》 북번지리에 기술된 지리정보 일부는 《통전》을 저본으로 하였다.

리 주장을 그 기저에 의도하고 있다. 《고려기》는 641년 당나라 직방낭중(職方郎中) 벼슬의 진대덕(陳大德)이 고구려에 사신으로 다녀온 후에 저술한 것으로서, 정식 명칭은 《봉사고려기(奉使高麗記)》이다.

《무경총요》 북번지리 압록수 조의 전체 기사[71]를 정보의 시대성에 따라서 두 부분으로 나누면 다음과 같다.

(가) - 1/2 부분

압록수(鴨綠水)는 고려국(高麗國)의 서쪽에 있으며, 말갈백산(靺鞨白山)에서 발원해 나오는데, 물빛(水色)이 오리의 머리(鴨頭)와 닮았다. 요동(遼東)까지 500 리 떨어져 있다. 고려(高麗)의 영역에서 이 강이 가장 크고, 물결이 맑게 일렁이는데, 이를 의지하여 천참(天塹)으로 삼으며, 강폭은 300 보이고, 평양성(平壤城)의 서북쪽 450 리에 있다.

(나) - 2/2 부분

강의 동남쪽 20 리가 분계(分界)로서, 신라국(新羅國) 흥화진(興化鎮)에 이른다. 황토암(黃土巖)에서 20 리 지점을 기준으로 삼아 서북쪽으로 동경(東京)까지 850 리, 남쪽(南)으로 바다(海)까지 60 리이다.

(가)의 기술은 《한원》이 인용한 《고려기(高驪記)》의 서술[72]과

---

71) 《武經總要前集》 邊防一下 北蕃地理 : 鴨綠水, 高麗國西, 源出靺鞨白山, 水色似鴨頭, 去遼東五百里。高麗之中也, 此水最大, 波瀾清澈, 恃之以為天塹, 水闊三百步, 在平壤城西北四百五十里。水東南二十里分界, 至新羅國興化鎮；自黃土巖二十里西北至東京八百五十里, 南至海六十里。

72) 《翰苑》: 高驪記云馬訾水高驪一名淹水今名鴨淥水其國相傳云水源出東北靺鞨國白山水色似鴨頭故俗名鴨淥水去遼東五百里經國內城南又西與一水合即鹽難也二水合流西南至安平城入海高驪之中此水最大波

이를 바탕한《통전(通典)》권186 고구려전의 압록강 관련 기술[73]을 저본으로 하여 다소 축약했을 뿐, 거의 그대로 옮겨 적은 것이다.

《한원》과《통전》의 해당 기술은 다음과 같다.

《한원》'마자수'

《고려기(高驪記)》가 이르길, 마자수(馬訾水)는 고구려(高驪)의 일명 엄수(淹水)로서 지금의 이름은 압록수(鴨淥水)이다. 그 나라에서 서로 전하여 말하길 수원(水源)이 동북쪽의 말갈국(靺鞨國) 백산(白山)에서 나오는데 물빛이 오리의 머리 같은 까닭에 민간에서 입록수(鴨淥水)라 이름하였다 한다.

(압록수에서) 요동까지 500 리 떨어져 있다. (압록수는) 국내성(國內城)의 남쪽을 경유하여 다시 서쪽에서 한 줄기 물과 합하니 곧 염난수(鹽難水)이다. 두 물줄기가 합하여 서남쪽으로 흘러서 안평성에 이르러 바다에 들어간다. 고구려에서 이 강이 가장 크고, 물결이 맑디맑으며, 경유하는 나루마다 모두 큰 배가 정박한다. 그 나라는 압록수를 천참(天塹)으로 삼아 의지한다.

지금 상고(案, 詳考)하여 보니, 강의 폭은 300 보로서 평양성(平壤城)에서 서북쪽 450 리에 있다.

《통전》'마자수'

瀾清澈所經津濟皆貯大船其國恃此以為天塹今案其水闊三百步在平壤城西北四百五十里也刀小船也毛詩曰誰謂河廣曾不容刀也

73)《通典》 卷一百八十六 東夷下 高句麗 : 馬訾(則移反)水一名鴨緑水水源出東北靺鞨白山水色似鴨頭故俗名之去遼東五百里經國內城南又西與一水合即鹽難水也二水合流西南至安平城入海高麗之中此水最大波瀾清澈所經津濟皆貯大船其國恃此為天塹水濶三百步在平壤城西北四百五十里遼水東南四百八十里(漢樂浪玄菟郡之地自後漢及魏為公孫氏所據至淵滅西晉永嘉以後復陷入高麗其不耐屯有帯方安市平郭安平居龍文城皆漢二郡諸縣則朝鮮濊貊沃沮之地)

> 마자수(馬訾水)는 일명 압록수(鴨綠水)로서, 수원(水源)이 동북쪽의 말갈백산(靺鞨白山)에서 나오며 물빛이 오리의 머리와 유사한 까닭에 민간에서 압록이라 이름하였다. (압록수는) 요동과 5백 리 떨어져 있다. (압록수는) 국내성 남쪽을 경유하여 다시 서쪽에서 한 줄기 강과 합하니 즉 염난수(鹽難水)이다.
>
> 두 강이 합쳐서 흐르다가 안평성 서남쪽에 이르러 바다로 들어간다. 고구려의 강 가운데 이 강이 가장 큰데 물결이 맑디맑으며, 경유하는 곳마다 나루가 있어서 모두 큰 배가 정박한다. 그 나라에서는 압록수를 의지하여 천참(天塹)으로 삼는다.
>
> (압록수는) 강의 폭은 3백 보이며 평양성(平壤城) 서북쪽 4백 50리, 요수(遼水) 동남쪽 4백 80 리에 있다.

《무경총요》 북번지리 압록수 조는 이들 두 문헌의 압록수(마자수) 기술을 부분적 생략함으로써 내용을 축약하였다.

(나)의 기술은《무경총요》 편찬 당시 기준 최신 정보로서, 대체로 요(遼) 성종(聖宗) 개태(開泰, 1012~1021) 말에서 태평(太平, 1021~1031) 초에 획득한 정보로 추정된다. 그 까닭은 우선 앞서 고찰한 바대로, 북번지리 신주 조가 기술하고 있는 내용은 요나라 동경도 신주에 대한 정보가 아니라 당나라 하북도 영주도독부 신주(信州) 정보와 요 동경도 용주(龍州) 정보가 뒤섞여 있는 사실에서 용주 황룡부가 설치된 1020년 직후에 획득한 불완전한 정보가 1044년에 편찬된《무경총요》 북번지리 요 동경도 지리정보의 가장 최신 정보라고 판단되는 데에 있고, 북번지리 압록수 조의 이 두 번째 단락에 1014년~1015년 사이에 거란이 압록강을 건너와서 강 동쪽을 빼앗아 보주(保州) 등을 설치한 이후의, 압록강 유역을 분계로 한 요나라와 고려 양국의 국경 상황이 담겨있다는 데에 또한 있다. 즉 이 기술이 담고 있는 정보가 1015년 이후의 정보인

것은 확실한데, 대체로 1020년대 초반의 정보로 판단되는 것이다.

그런데 (나)의 기술은 상기 (가)의 기술 내용과 그대로 상충(相衝)한다. 《한원》과 《통전》의 압록수 기술을 축약 편집한 (가)의 기술은 압록수에서 요동(遼東)까지 "500 리"라고 했는데, 일반적으로 요동은 한나라 때에는 양평현과 요양현의 치소가 있었고, 고구려 때에는 요동성이 있었으며, 고구려 멸망 후에는 안동도호부의 치소가 있었으며, 거란의 요(遼)나라 때에는 동경이 있었던 곳을 가리킨다. 즉 (가)의 "압록수에서 요동까지 500 리"는 그대로 "압록수에서 동경(요양)까지 500 리"라는 뜻으로 해석할 수 있다. 그러나 곧바로 (나)에서 "압록강 동남쪽에 있는 황토암에서 20 리 떨어진 지점에서부터 서북쪽으로 동경까지 850 리"라고 적고 있지 않은가?

사실 (가)의 "압록수에서 요동까지 500 리" 기술 자체도 압록수를 현 압록강으로 보면 그 500 리 지점에 현 요양(遼陽)이 있지도 있을 수도 없어서 기술 자체가 모순을 안고 있는데 어차피 7세기 정보인 《한원》과 《통전》의 기술을 그대로 받아서 다소 축약한 편집본에 불과하므로 《무경총요》 편찬 당시인 11세기 초·중반의 요나라 사정과 더더욱 거리가 멀다. 즉 (나)의 기술만이 생생한 현장 정보로서 가치가 있다.

만약 (나)의 기술이 《무경총요》 북번지리 압록수 조에 단독으로 존재하여서 다른 사료에서 동일하거나 유사한 정보가 관찰되지 않는다면 단지 오기(誤記)나 부정확한 정보로 판단할 수도 있을 것이다. 그런데 이와 거의 동일한 기록이 이미 앞서 분해하여 검토한 《무경총요》 북번지리 동경 조에 있을 뿐만 아니라 《거란국지》에도 있다. 《거란국지》의 해당 기록은 부분적으로 (나)의 기술과 다소 다른데, 이 세 기록을 함께 벌여서 표에 정리하면 다음과 같다.

《거란국지》 권22 신라국[74]	《무경총요》 북번지리 압록수	《무경총요》 북번지리 동경
(거란에서) 동남쪽으로 신라국에 이른다. 신라국의 서쪽은 압록강의 동쪽 8 리에 있는 황토령(黃土嶺)을 경계로 하는데, 보주(保州)까지 11 리이다.	강(압록수)의 동남쪽 20 리가 분계로서, 신라국 흥화진에 이른다. 황토암(黃土巖)에서 20 리 지점을 기준으로 삼아 서북쪽으로 동경까지 850 리, 남쪽으로 바다(海)까지 60 리이다.	(동경에서) 동남쪽으로 압록수까지 900 리[75]이다.

《거란국지》는 압록강 동쪽 8 리에 있는 황토령이 신라[76]의 서쪽 경계라고 하였다. 또한 보주까지 11 리라고 했다. 보주는 황토령이 신라의 서쪽 경계라고 이미 밝혔으므로 황토령 동쪽 11 리를 뜻하는 것이 아니다. 그렇다면 보주는 압록강 동쪽이 아니라 압록강 서쪽 연안(沿岸)에 위치한 셈이다.

《무경총요》 북번지리 압록수 조는 압록수 동남쪽 20 리가 거란과 신라국(고려)의 분계(分界)라고 적었다. 그런데 그 뒤에 오는 문장이 상당히 애매하다. 본 연구자는 "황토암에서 20 리 지점을 기준으로 삼아서 (하략)"라고 의역하였는데 그 원문을 보면 自黃

---

74) 東南至新羅國。西以鴨淥江東八里黃土嶺為界, 至保州一十一里。

75) 浙江大學圖書館이 소장한 《武經總要前集》 欽定四庫全書本(의 影印本)은 '90 리(東南至鴨綠水九十里)'라고 적고 있다.

76) 오대(五代)부터 송(·요·금·)원대 사서와 문헌에서는 고구려와 구분하기 위해서 당시의 (왕건이 창건한) 고려를 '신라'로 표기한 것이 일반적이다.

土巖二十里西北至東京八百五十里라고 돼 있다. 즉 이미 앞의 문장에서 압록수 동남쪽 20 리가 거란과 고려의 분계라고 기술하였는데 다시 "황토암에서 20 리 지점을 기준으로 하여서" 거기서부터 동경까지의 거리를 제시하는 것은 문맥에 어긋난다. 따라서 이 문장은 압록수 동남쪽 20 리 지점에 있는 것이 황토암이고, 황토암에서 압록수까지 20 리, 그리고 그 압록수에서 동경까지 850 리라고 해석함이 옳다. 즉 自黃土巖二十里西北至東京八百五十里는 "황토암에서 서북쪽 20 리 지점에서 동경까지 850 리"라고 해석해야 한다. 결국 황토암에서 20 리 떨어져 있는, 압록강 서안(西岸)의 어느 지점에서부터 서북쪽으로 동경까지 850 리라는 뜻이다.

한편 "남쪽으로 바다까지 60 리"라고 했는데 북번지리 보주(保州) 조[77]에서는 보주에서 "남쪽으로 바다까지 50 리"라고 적었다. 따라서 이 지점은 보주가 아니라 황토암을 가리키는 것임을 알 수 있다.

《거란국지》와 《무경총요》 북번지리 압록수 조의 해당 기술은 동일한 원전(原典) 자료를 바탕한 것으로 보이는데, 이처럼 그 기술 내용에 차이가 있다. 《거란국지》가 '황토령(黃土嶺)'이라고 적고, 《무경총요》가 '황토암(黃土巖)'이라고 적은 지형, 또는 지역이 관건(關鍵)이 될 것이다.

《거란국지》는 이 의주 지역이 접한 압록강에서 동남쪽으로 8 리에 있는 '황토령(黃土嶺)'이 거란과 고려의 분계라고 적었고,

---

77) 《武經總要前集》 邊防一下 北蕃地理 : 保州, 渤海古城, 東控鴨綠江新羅國界, 仍置榷場, 通互市之利。東南至宣化軍四十里, 南至海五十里, 北至大陵河二十里。

《무경총요》는 20 리에 있는 '황토암(黃土巖)[78]'이 분계라고 적었다. 그런데 그 기술내용을 차분히 살펴보면 《거란국지》는 압록수의 동안(東岸)을 기준한 것이고, 《무경총요는》 서안(西岸)의 모처(某處)를 기준한 것으로 결국 같은 얘기를 하고 있음을 알 수 있다.

《거란국지》는 신라국의 "서쪽은 압록강 동쪽 8 리에 있는 황토령을 경계로 한다(西以鴨淥江東八里黃土嶺為界)"고 하고서 그 뒤에 갑자기 보주까지 11 리(至保州一十一里)라고 이어 적고 있다. 압록강 동쪽 8 리가 신라국(고려)의 서쪽 경계이므로 거란의 보주는 압록강 동쪽 11 리에 존재할 수 없다. 즉 서쪽으로 11 리에 보주가 있다는 뜻이다. 그런데 이 문구가 '황토령' 다음에 이어져 있으므로 얼핏 보면 황토령에서부터 서쪽으로 11 리를 뜻하는 것으로 이해된다. 그러나 압록강 동남쪽 8 리에 있는 황토령에서 서쪽으로 11 리 지점은 뭍(陸)이 아니라 압록강의 강중(江中)이다. 즉 황토령이 아니라 압록강 동안(東岸)에서부터 (서쪽, 또는 서북쪽으로) 11 리를 뜻하는 것이다.

조선후기 연행록인 《계산기정》의 도리(道里)는 의주만호부(義州萬戶府)에서 구련성(九連城)까지 모두 24 리(共二十四里)라고 적었다. 그런데 그 중간 이정은 압록강(鴨綠江)까지 5 리, 소서강(小西江)까지 1 리, 중강(中江)까지 4 리, 방피포(防陂蒲)까지 5 리, 구련성(九連城)까지 4 리로서 도합 '19 리'밖에 되지 않는다. 만호부와 압록강 사이의 중간 이정이 5 리 생략돼 있는 것이다. 이 도리기에서 실제 압록강에 해당하는 이정은 '압록강-소서강-중강-방피포' 구간으로서 도합 '10 리'이다. 《거란국지》의 '11 리'를 여기에 대입하면 그 지점은 방피포, 또는 방피포와 구련성 사이가 될

78) 巖(암)은 嶺(령)의 오기(誤記)일 가능성이 있다.

것이다. 《거란국지》는 거란 동경도 보주(保州)가 여기에 있다고 적고 있는 것이다. 이 지점은 황토령을 기점으로 하면 도합 '19 리'가 되는 곳이다.

《무경총요》는 "압록수 동남쪽 20 리가 (신라국과의) 분계(水東南二十里分界)"라고 하였으며, 또한 "황토암 20 리에서부터 서북쪽으로 동경까지 850 리(自黃土巖二十里西北至東京八百五十里)"라고 하였다. 황토암은 《거란국지》의 황토령과 같은 곳이므로, 이 '압록수 동남쪽 20 리 분계'에서 20 리의 기준은 압록강 서안(西岸)임을 알 수 있다. 즉 《무경총요》는 압록강 서안의 보주(保州에서부터 서북쪽으로 동경까지 '850 리'라고 적은 것이다.

그런데 《무경총요》 북번지리 내원성(來遠城) 조[79]에서 "서쪽으로 보주까지 40 리"라고 한 점, 보주 조[80]에서는 "동남쪽으로 선화군(宣化軍)까지 40 리"라고 한 점[81], 또한 보주 조에서 압록강을 언급하고 있지 않은 점으로 볼 때에 《거란국지》에서 압록강 동안에서 11 리에 위치하고, 《무경총요》 북번지리에서 20 리에 위치한 '보주'는 보주가 아니라 보주 관할의 내원성으로 판단되며, 그 위치는 현 단동시 관전만족자치현(宽甸满族自治县) 호산촌(虎山村)의 압록강 연접지, 또는 구련성(九連城) 관할의 압록강 연접지로 추정된다. 즉 여기서 서쪽 40 리 경에 실제 보주(保州)의 주성

79) 《武經總要前集》 邊防一下 北蕃地理 : 來遠城, 虜中庚戌年討新羅國, 得要害地, 築城以守之, 即中國大中祥符三年也。東至新羅興化鎮四十里, 南至海三十里, 西至保州四十里。

80) 《武經總要前集》 邊防一下 北蕃地理 : 保州, 渤海古城, 東控鴨綠江新羅國界, 仍置榷場, 通互市之利。東南至宣化軍四十里, 南至海五十里, 北至大陵河二十里。

81) 내원성과 선화군은 같은 곳이다. 《요사》 병위지에는 선화군이 '선의군'으로 적혀 있다. 《遼史》 卷三十六志第六 兵衛志下五京鄉下 邊境戍兵 : 來運城宣義軍營八

(州城)이 위치해 있고, 그 보주가 압록강 동안의 황토령(황토암)까지 관할한 것이다.[82]

《무경총요》 북번지리 압록수 조는 동경(東京)에서 압록수까지 '850 리'를 제시하고 있고, 동경 조는 '900 리'를 제시하고 있다. 양자 간에 50 리의 차이가 있으나 다양한 경로가 있었고, 자연재해나 교통로의 정비 등 시대에 걸친 여러 사정을 고려하여 본다면 이 차이는 무의미할 정도로서, 대체로 일치한다고 말할 수 있다. 분명한 핵심은 이들 두 기록이 제시하는 동경이 현 요양시 백탑구 일대가 아니라는 사실이다.

그렇다면 《무경총요》의 이들 두 기록이 제시하고 있는 동경의 위치는 어디일까? 《무경총요》의 동경 주변 이정(里程)과 대체로 일치하는 《독사방여기요》 산동8의 정보[83]를 토대로, 현 서북한 압록강 서안(西岸)을 기점으로 하여 서북쪽으로 900 리 내외에 해당하는 장소를 분석하였다.

아래 표에 사용된 이정에서 심양(심주)~광녕위(현주)의 것은

---

82) 황토령(황토암)을 비롯하여 보주·내원성 지역의 구체적 상황은 「보주·내원성 검토」 등 관련 논고에서 심층 분석하여 다루었다.

83) 《讀史方輿紀要》 卷三十七 山東八 : (1) 遼東舊都司城。東至鴨綠江五百六十里, 南至旅順海口七百三十里, 西至山海關一千一十五里, 西北至大寧廢衛八百六十里, 東北至故建州衛七百九十里。自都司至山東布政司二千三百三十里, 至江南江寧府三千四百里, 至京師一千七百里。(2) 海州衛司西南百二十里。南至蓋州衛百二十里, 西至廣寧衛二百四十里, 東南至鴨淥江五百八十里。(3) 蓋州衛 ① 蓋州衛司西南二百四十里。南至復州衛百八十里, 西北至廣寧衛三百六十里, 東至鴨淥江五百五十里。(4) 蓋州衛 ② 鴨淥江衛東南五百里, 與朝鮮分界。(5) 沈陽中衛 ① 沈陽中衛司北百二十里。北至鐵嶺衛百二十里, 東南至鴨淥江六百里。(6) 沈陽中衛 ② 遼濱城衛西北百八十里, 高麗之遼東城也。

《선화을사봉사금국행정록》의 현주~심주 이정인 333 리[84]를 적용하였다.

①	압록강 → 요양 → 심양(심주) → 광녕위(현주)	1,013 리
②	압록강 → 요양 → 심양(심주) → 요빈성(요주)	860 리
③	압록강 → 심양(심주) → 요빈성(요주)	780 리
④	압록강 → 심양(심주) → 광녕위(현주)	933 리
⑤	압록강 → 요양 → 광녕위(현주)	980 리
⑥	압록강 → 요양 → 해주위(해주) → 광녕위(현주)	920 리
⑦	압록강 → 해주위(해주) → 광녕위(현주)	820 리
⑧의 a	압록강 → 개주위(진주) → 광녕위(현주)	910 리
⑧의 b	압록강 → 개주위(진주) → 광녕위(현주)	860 리

현 서북한 압록강에서 요하의 서쪽 지역으로 이동하는 경로는 전통적으로 요양에서 심양을 지나서 요(遼)나라 당시 광주(廣州)가 있었던 창의현(彰義縣)을 거쳐 요하를 건너는 경로가 주로 이용되었다. 이는 소택지(沼澤地)의 북부로서, 남부에 비해서 상대적으로 소택지의 너비가 짧았고, 심양, 즉 심주가 중시된 지역이었던 데에 그 까닭이 있는 것으로 판단된다.

그러나 소택지의 남부 경로 역시 이용되지 않았던 것은 아니어서 《무경총요》 북번지리 동경 조에서는 요양에서 남쪽 경로를 따라 건주, 즉 현 북진시에 이르는 420 리의 경로가 상세히 기술돼 있고, 특히 《무경총요》가 편찬되기 근 1백 년 전인 947년에 후진(後晋)의 석중귀가 거란 황룡부로 유배를 갈 때에 "금주(錦州) → 해북주(海北州) → 동단왕묘(현주) → 요수 → 철주(鐵州)" 경로를 이용한 사실이 있다. 철주는 현 대석교시 탕지진(汤池镇) 일대

84) 《宣和乙巳奉使金國行程錄》: 第二十三程 自顯州九十里至兎兒渦。第二十四程 自兎兒渦六十里至梁魚務。 第二十五程 自梁魚務百單三里至沒咄寨。第二十六程 自沒咄寨八十里至瀋州。

에 비정돼 있는데 명(明) 요동도지휘사사 관할의 개주위(蓋州衛)가 있던 현 개주시의 동북쪽 인근이다. 즉 《무경총요》 북번지리 동경 조에 제시된 요양~건주 420 리 경로 외에도 요하 하구의 동안(東岸)에 있던 철주 지역을 경유지로 한 경로가 이미 10세기 중엽에 존재했던 것이다.

《독사방여기요》 산동8의 여러 이정과 《선화을사봉사금국행정록》의 현주~심주 간 이정을 교차하여 분석한, 현 서북한 압록강 서안에서 서북쪽으로 900 리 내외의 지점은, 위의 표에 제시한 바대로 9 개의 경로를 통해서 접근할 수 있었는데, 동경 적합지는 총 2 곳으로 나타났다. 바로 요주(遼州)가 있던 요빈성과 현주·건주가 있던 명(明) 광녕위이다. 요빈성은 현 신민시 요빈촌 일대이고, 광녕위는 현 북진시 일대이다. 그런데 총 9 개의 경로 가운데에서 요빈성은 불과 2 개, 광녕위는 7 개로서 절대 다수이다. 즉 앞서 《무경총요》 북번지리의 '요수로 본 동경의 위치'가 현 북진시(北鎮市) 일대로 나타난 것과 동일하게 '압록수로 본 동경의 위치' 역시 현 북진시 일대로 나타난 것이다.

정리

《무경총요》 북번지리 동경사면제주(東京四面諸州)에 수록된 제주(諸州) 가운데에서 편찬 연도(1044)를 기준하여서 가장 최근에 설치된 곳은 요 성종 개태(開泰) 7년(1018)에 설치된 신주(信州)이다. 그런데 정작 북번지리 신주 조가 기술한 내용은 요 동경도 신주의 것이 아니라 당 하북도 신주(信州)와 개태 9년(1020)에 설치된 요 동경도 용주(龍州)의 것이었다. 신주와 무관하고, 그 시대도 상이한 두 주의 정보가 뒤섞여 있는 것이 북번지리 신주 조 기술이다.

한편《요사》 지리지 동경도가 부(府)를 제외하고, 성(城)을 포함하였을 때에 총 87곳의 행정지를 제시하고 있는 반면에《무경총요》 북번지리는 동경사면제주에서 겨우 20 곳을 제시하고 있다. 또한《무경총요》 북번지리는《요사》 지리지가 중경도의 속주로 제시한 금주(錦州)·엄주(嚴州)·습주(隰州)를 동경사면제주 편에 수록하고 있다. 요 동경도(요양부)는《요사》 지리지 기준 938년,《금사》 지리지 기준 928년에 설치되었고, 요 중경도는 요 성종 통화 25년(1007)에 설치되었다. 요 중경도가 설치되기 전에 중경도 관할지의 동부 지역 상당지는 동단국 및 동경의 관할이었을 것으로 추정되는 만큼《무경총요》 북번지리의 이러한 편성은 북번지리 동경사면제주 지리정보의 일부가 요 중경도가 설치된 1007년 이전에 습득된 것임을 시사한다.

요 동경도에 속한 상당수의 주(州)는 성종과 흥종 대를 거치면서 비로소 처음 설치되었다.《무경총요》 북번지리 동경사면제주는 1020년에 설치된 용주 정보를 1018년에 설치된 신주 조에서 기술하였고, 그 이후에 신설된 주는 수록하지 않았다. 반대로 그 전체에서 중경도가 설립된 1007년 이전의 지리상까지 뒤섞여 있다.

이러한 주요 사실은《무경총요》북번지리 동경사면제주의 지리 정보가 1020년 용주 설치 직후의 정보를 가장 최신의 것으로 하면서 그 이전까지 여러 시기에 걸쳐서 습득된 정보가 재고(再考) 없이 취합된 것임을 뜻한다. 그런데 여러 시기의 습득 정보가 혼재돼 있는《무경총요》북번지리 동경사면제주의 이러한 불완전성은 요 동경도의 변천상, 특히 동경의 위치 변화에 대한 비상한 단서를 지니고 있다.

북번지리 동경 조는 그 서두에서 동경의 '동쪽에 대요하, 서쪽에 소요하'가 있다고 하였는데 동경사면제주 전체의 기술에서 요수는 총 2 곳으로 나타나있다. 현 요하는 요수·요하·대요수로 호칭돼 있으며, 현 부신시 세하와 대릉하 하류가 연결된 물줄기는 요하·소요수로 호칭돼 있다. 따라서 북번지리 동경 조의 서두가 언급한 대요하는 현 요하이고, 소요하는 현 세하-대릉하 물줄기임이 교차 확인이 되며, 이로써 서두가 제시하고 있는 동경의 위치는 이 두 물줄기의 사이, 구체적으로 현 북진시 일대임이 드러났다.

동경의 위치가 현 북진시 일대로 나타남은 북번지리가 기술한 압록수 정보의 교차분석을 통해서도 확인이 되었다. 북번지리 압록수 조는 압록수에서 서북쪽으로 동경까지 850 리라고 하였고, 동경 조는 동경에서 동남쪽으로 압록수까지 900 리라고 하였다. 이 리수를 역대 문헌의 도리 정보를 통해 분석하여서 동경의 위치가 현 북진시에 상당함이 드러났다.

《무경총요》북번지리 동경사면제주에는 동경의 위치가 총 2 곳이 제시돼 있다. 현 요양시 백탑구와 북진시가 그곳이다. 그런데

1029년 대연림 반란부터 요·금 교체기까지의 여러 일관된 사실에서, 이 시기 동안의 동경은 현 요양시 백탑구에 위치하고 있었음이 분명하다. 따라서 《무경총요》 북번지리가 의도하지 않게 누설하고 있는 요 동경 위치 변천의 진상은, 본래 북진시에 자리하고 있다가 신주가 설치된 1018년을 전후한 시기에 요양시 백탑구로 그 치소(治所)가 옮겨졌다고 이해할 수 있다.

1010년, 고려 침공 기사로 본 동경의 위치

도입

거란은 요(遼) 성종(聖宗) 통화 28년, 고려 현종(顯宗) 원년, 서기 1010년에 고려를 다시 침공하였다. 표면적인 이유는 강조(康肇)가 목종(穆宗)을 시해하고, 현종을 옹립한 것을 들었으나 실제 그 숨은 목적은 고려가 993년 1차 전쟁의 강화(講和) 결과로서, 거란에게서 할양 받아 그 영역을 넓혀 차지한, 이른바 '강동 6주'를 빼앗기 위함이었다.

《요사》 성종본기에 따르면, 거란은 통화(統和) 28년 5월(음력, 이하 생략)에 모든 도(道)에 조서를 내려서 고려(高麗) 정벌을 준비하도록 하고, 8월에는 소배압(蕭排押)을 도통(都統)으로, 북면림아(北面林牙) 승노(僧奴)를 도감(都監)으로 삼고서 송(宋)나라에 사신을 보내서 장차 성종이 친(親)히 고려를 정벌할 것임을 알렸다. 이러한 후, 11월에 드디어 압록강(鴨綠江)을 건넜다.

다음의 표는 《요사》 성종본기의 고려정벌 관련 기사를, 그 첫 전투 이전까지 시간 순서대로 정리한 것이다.

통화 28년(1010)		기사
5월	병오일	고려(高麗)의 서경유수(西京留守) 강조(庚肇)가 그 임금(主) 왕송(誦, 목종)을 시해(弑)하고, 제멋대로(擅) 왕송(誦)의 종형(從兄) 왕순(詢, 현종)을 옹립하였다. (이에) 모든(諸) 도(道)에 조서를 내려 갑옷(甲)과 병장기(兵)를 보수하여(繕) 동정(東征, 고려 정벌)을 준

		비하도록 하였다.[1]
8월	신해일	중경(中京)에 갔다.
	병인일	현릉과 건릉 두 릉을 배알하였다.
	정묘일	송(宋)에 사신을 보내서 거란 황제가 장차 고려를 친정(親征)한다는 사실을 통보하였다. 황제의 아우인 초국왕(楚國王) 야율융우(隆祐)를 경사(京師)의 유수(留守)로 삼고, 북부재상(北府宰相)이자 부마도위(駙馬都尉)인 소배압(蕭排押)을 도통(都統)으로, 북면림아(北面林牙) 승노(僧奴)를 도감(都監)으로 삼았다.[2]
9월	신묘일	추밀직학사(樞密直學士) 고정(高正)과 인진사(引進使) 한기(韓把, 把는 杞의 오기)를 보내서 고려의 왕순을 추궁하였다.[3]
10월	병오일	여진(女直)이 양마(良馬) 1만 필(萬匹)을 진상하면서 고려를 정벌할 때에 종군하겠다고 요청하니 허락하였다. 왕순이 사신을 보내와서 표문을 올리면서 정벌군의 출정을 그칠 것을 애걸하였으나 불허하였다.[4]
11월	을유일	(거란의) 대군(大軍)이 압록강(鴨綠江)을 건넜다. (이에) 강조(庚肇, 庚은 康의 오기)가 막아서며 싸웠는데 패배시키니 퇴각하여 동주(銅州)에서 보전하였다.[5]

우리 측 사서인 《고려사(高麗史)》와 《고려사절요(高麗史節要)》

1) 《遼史》 卷十五本紀 第十五 聖宗六 : (統和二十八年五月) 丙午, 高麗西京留守庚肇弑其主誦, 擅立誦從兄詢, 詔諸道繕甲兵, 以備東征。

2) 《遼史》 卷十五本紀 第十五 聖宗六 : (統和二十八年) 秋八月戊申, 振平州饑民。辛亥, 幸中京。丙寅, 謁顯、乾二陵。丁卯, 自將伐高麗, 遣使報宋。以皇弟楚國王隆祐留守京師, 北府宰相、駙馬都尉蕭排押為都統, 北面林牙僧奴為都監。

3) 《遼史》 卷十五本紀 第十五 聖宗六 : (統和二十八年九月) 辛卯, 遣樞密直學士高正、引進使韓把宣問高麗王詢。

4) 《遼史》 卷十五本紀 第十五 聖宗六 : (統和二十八年) 冬十月丙午朔, 女直進良馬萬匹, 乞從征高麗, 許之。王詢遣使奉表乞罷師, 不許。

5) 《遼史》 卷十五本紀 第十五 聖宗六 : (統和二十八年) 十一月乙酉, 大軍渡鴨綠江, 庚肇拒戰, 敗之, 退保銅州。

의 해당 기사는 《요사》 성종본기의 이른바 2차 고려정벌 관련 기사와 그 날짜가 어긋나는데 이를 표로써 대조하여 보면 다음과 같다.

주요 사실	《요사》 성종 본기	《고려사》 현종 세가	《고려사절요》 현종원문대왕
고려에 고정(高正)과 한기(韓杞)를 보내서 거병 사실을 통보	9월 16일(음) 신묘(辛卯)일	10월 8일(음) 계축(癸丑)일[6]	10월 8일(음) 계축(癸丑)일[7]
거란 황제가 친정(親征)함을 통보	10월 1일(음) 병오(丙午)일	11월 1일(음) 병자(丙子)일[8]	11월 미상(음)[9]
거란 황제가 이끄는 거란군의 압록강 도하	11월 10일(음) 을유(乙酉)일	11월 16일(음) 신묘(辛卯)[10]	11월 16일(음) 신묘(辛卯)[11]
첫 전투	상동	8일 후인 24일(음) 기해(己亥)일 12)	1일 후인 17일(음) 임진(壬辰)일 13)

6) 《高麗史》 世家 卷第四 顯宗 : (원년 10월) 癸丑 契丹遣給事中高正, 閤門引進使韓杞來告興師. 叅知政事李禮均, 右僕射王同穎如契丹, 請和.

7) 《高麗史節要》 卷三 顯宗元文大王 : (현종 원년 10월) 癸丑. 契丹遣給事中高正閤門引進使韓杞來, 告興師. 參知政事李禮鈞右僕射王同穎如契丹, 請和.

8) 《高麗史》 世家 卷第四 顯宗 : (원년 11월) 契丹主遣將軍蕭凝, 來告親征.

9) 《高麗史節要》 卷三 顯宗元文大王 : (현종 원년 11월) 契丹主遣將軍蕭凝來, 告親征.

10) 《高麗史》 世家 卷第四 顯宗 : (원년 11월) 辛卯 契丹主自將步騎四十萬, 渡鴨綠江, 圍興化鎭, 楊規·李守和等固守不降.

11) 《高麗史節要》 卷三 顯宗元文大王 : (현종 원년 11월) 辛卯. 契丹主自將步騎四十萬, 號義軍天兵, 渡鴨綠江, 圍興化鎭. 巡檢使刑部郞中楊規與鎭使戶部郞中鄭成副使將作注簿李守和判官廬𧦴令張顥嬰城固守.

12) 《高麗史》 世家 卷第四 顯宗 : (원년 11월) 己亥 康兆與契丹, 戰于通州, 敗績就擒.

그러나 이 세 사서의 기록이 세부적으로 차이가 있음에도 불구하고 거란 성종(聖宗)이 직접 군대를 이끌고 압록강(鴨綠江)을 도하(渡河)한 시점을 전쟁의 본격 개시(開始)로 적고 있음은 동일하다.

사학계는 역사적으로 언급되고 등장한 모든 압록강이 고정불변 현 서북한 압록강이라고 설명하고 있고, 흥화진(興化鎭)은 평북 피현군(枇峴郡) 백마산성에 비정하고 있으므로 이러한 통설에 기대어 보면 1010년 거란의, 이른바 2차 침략은 모두 현 압록강 이남의 한반도에서 벌어진 전쟁으로서, 특별히 이상하거나 새로울 것이 없다 할 것이다. 그런데 사료(史料)의 폭을 넓혀서 이 전쟁에 입체적으로 접근하면 전혀 뜻밖의 사실을 마주하게 된다.

거란과 고려의 전쟁은 전쟁 당사자인 두 나라뿐만 아니라 동북아시아 국제사회에서 눈에 불을 켜고 지켜보는 중대한 사건이자 사태였다. 특히 거란과 국경을 마주한 또 다른 나라인 송나라에게 두 나라 사이에 벌어지는 전쟁의 향방은 국운과 직결되는 문제였다.

이 논고(論考)에서는 여러 문헌의, 1010년 여·요 전쟁 관련 기록 가운데에서 당시 거란 동경, 즉 요양(遼陽)의 위치를 암시(暗示)하는 기록을 집중 분석하여서 당시 거란 동경의 위치에 접근하였다. 만약 1010년 당시 거란 동경의 위치가 현 요양시 백탑구가 아닌 타지(他地)의 모처(某處)였다는 사실이 분명해진다면 거란 동경은 부정할 여지없이 그 후 어느 때에 그 모처에서 요양시 백탑구로 이치된 것이다.

---

13) 《高麗史節要》 卷三 顯宗元文大王 : (현종 원년 11월) 壬辰. 崔士威等分軍出龜州北悳頓湯井曙星三道, 與契丹戰, 敗績.

《속자치통감장편》 기록 분석

《속자치통감장편(續資治通鑒長編)》은 남송(南宋) 이도(李焘)가 40년에 걸쳐 편찬한, 전체 980 권에 달하는 방대한 편년체(編年體) 사서로서, 송 태조(宋太祖) 건륭(建隆) 원년(960)에서 흠종(欽宗) 정강(靖康) 2년(1127)에 이르는 북송(北宋) 9대, 168년의 역사를 다루었으며, 1182년에 최종 완성되었다.

《속자치통감장편》 권74 송(宋) 진종(真宗) 대중상부(大中祥符) 3년(1010)의 10월에서 11월에 이르는 기사 가운데에서 거란의 고려정벌과 관련한 기사는 다음과 같다.

월	일(음)		기사
10월	辛亥	6일	웅주(雄州)에서 거란이 보낸 첩문이 탁주(涿州)에 도착한 사실을 알려왔는데, 그 첩문은 "본국(本國, 거란)은 장차 고려를 정벌할 것이다" 하는 내용으로서, 우감문위장군 야율영(耶律寧)이 봉서(奉書)를 가지고 와서 고하였다 하였다.[14]
	戊辰	23일	지웅주(知雄州, 웅주의 知州) 이윤칙(李允則)이 알려오길, "거란이 현주(顯州)에서 동쪽으로 고려를 침공하는데, 기한을 두길 12월까지 중경(中京)으로 돌아온다 하였으니 아마도 오랑캐(虜, 거란) 조정(朝廷)에서 (송나라) 사신이 저곳(彼, 거란 중경)에 (오는 것을 고려한 것)입니다." 하였다.[15]
11월	壬辰	17일	이윤칙이 말하기를, "경년(頃年, 근년)에 거란이 여진(女真)을 공격했는데, 여진은 휴재(觽才)가 1만 인(人)으로, 사는 곳에 회성(灰城)이 있는데 물을 대서 견고하게 얼음을 얼려서 올라갈 수 없었으며 성과의 거리는 3 백 리로, 식량을 불사르고 산림 사이에 복병(設伏, 설병)을 두어 기다렸습니다. 거란이 이윽고 성을 공격하였으나

함락시킬 수 없었고, 들판에서는 아무런 것도 얻을 수 없어서 마침내 기병을 이끌고 가다가 삼림 사이에 숨어있던 군사들에게 엄습을 당해 크게 살육됐습니다. 지금 거란이 요양으로 달려가서(趨遼陽) 고려를 정벌하는데 또다시 여진 지역을 건너가게 되니, 여진은 비록 작으나 거란은 틀림없이 이길 수 없습니다." 하면서 지도를 바쳤다. 또 말하길, "거란은 서루(西樓)를 상경(上京)으로 삼고, 요양(遼陽)을 동경(東京)으로 삼았는데, (동경은) 중경(中京)의 정동쪽에서 다소 남쪽에 있습니다. 그 습속에 장사 지내는 것을 마친 후에 마침내 무덤을 지키는데, 혹 말하길, 국주(國主, 거란 성종)가 그 어미의 무덤을 지키고자, 고려를 정벌하겠다 큰소리 치며 요양성에 주둔하고 있는 것이라고 합니다." 하였다.[16]

위에 제시한 관련 기사의 핵심은 다음 네 가지로 간추릴 수 있다.

① 거란은 이 전쟁을 두 달 안에 끝내려고 하였다. (거란은 이 전

14) 《續資治通鑒長編》 卷七十四 宋真宗 大中祥符三年 (庚戌) : (冬十月) 辛亥, 雄州言契丹涿州移牒, 言本國將征高麗, 遣右監門衛將軍耶律寧奉書來告。

15) 《續資治通鑒長編》 卷七十四 宋真宗 大中祥符三年 (庚戌) : (冬十月戊辰) 知雄州李允則言契丹由顯州東侵高麗, 期以十二月還中京, 蓋慮朝廷使至彼也。

16) 《續資治通鑒長編》 卷七十四 宋真宗 大中祥符三年 (庚戌) : (十一月壬辰) 李允則言 :「頃年契丹加兵女真。女真黼才萬人, 所居有灰城, 以水沃之, 凝為堅冰, 不可上, 距城三百里, 焚其積聚, 設伏於山林間以待之。契丹既不能攻城, 野無所取, 遂引騎去, 大為山林之兵掩襲殺戮。今契丹趨遼陽伐高麗, 且涉女真之境, 女真雖小, 契丹必不能勝也。」仍畫圖以獻, 又言 :「契丹以西樓為上京, 遼陽為東京, 在中京正東稍南。其習俗既葬畢守墳, 或云國主欲守其母墳, 聲言伐高麗駐遼陽城也。」

쟁을 두 달 안에 끝낼 수 있을 것으로 예상했다)

② 거란군은 현주(顯州)를 고려 원정의 기지(基地)로 삼고 있었다.

③ 거란군과 그 임금 성종(聖宗)은 고려 원정을 위해 요양성(遼陽城)에 집결해 대기하고 있었다.

④ 송나라가 획득한 첩보에 따르면, 거란 성종이 요양성에 주둔하며 “고려를 정벌하겠다” 큰소리치는 까닭은 그 어미의 무덤(母墳)을 지키고자 하는 것이었다.

앞서 《요사》 성종 본기를 살펴본 바, 통화 28년(1010) 8월 정묘일(21일)에 거란 측이 송나라에 ‘거란 황제가 직접 군대를 이끌고 고려를 정벌하려 한다’는 사실을 통보하였다. 이는 거란 성종이 송나라에 통보할 것을 지시한 것으로 이해되며, 그 명령이 집행되어 사신으로서 우감문위장군 야율영이 접경지역에 도착한 때는 상기 《속자치통감》 기사를 근거할 때에 대략 9월 하순 경으로 추정된다.

웅주(雄州)의 지주(知州, 지방관) 이윤칙이 접경지역에서 거란 측 지역인 탁주(涿州)에 거란이 송에 보낸 첩문이 도착한 사실을 알고서 그 첩문의 주요 내용을 미리 파악하여 보고한 까닭에 송나라 조정은 거란의, 고려 침공 계획의 대강을 10월 6일에 먼저 알게 되었고, 같은 달 23일에는 역시 이윤칙이 정식으로 보고함에 따라 첩문의 구체적 내용을 알게 되었다.

11월 17일 기사는 이윤칙이 거란의 고려 침공에 따른 전쟁의 전개를 전망하고 있는 것으로서, 이 날은 《요사》에 따르면 거란군이 압록강을 건넌 지 이미 7일이 지난 시점이고, 《고려사》와 《고려사절요》에 따르면 하루가 지난 시점으로서 송나라 측은 거란의 고려 침공이 임박하였다는 사실은 알고 있었으나 이미 침공했다는 사실은 알지 못 한 상태였다.

거란 2차 고려 침략은 두 달 안에 끝내려 한 애초의 예정(期以十二月還中京)보다 한 달이 더 걸려서, 《고려사》[17]와 《고려사절요》[18]의 기록에 따르면 1011년 1월 29일(癸卯)이 돼서야 압록강을 건너서 퇴각했고, 《요사》의 기록[19]에 따르면 이보다 이른 1월 15일(己丑)이 돼서야 퇴각 과정에서 압록강에 도착했다.

11월 17일 기사에서 거란의 임금, 즉 성종이 어미의 무덤을 지키고자 한다(國主欲守其母墳) 했는데, 거란 성종의 어미는 승천황태후(承天皇太后)라는 존호로 널리 알려진 예지황후(睿智皇后)이다. 승천황태후는 요 성종 통화 27년인 서기 1009년에 죽었는데[20], 《속자치통감》 기사에 따르면 그 이듬해 4월에 현주(顯州) 북쪽 20 리에서 장사지내고[21], 《요사》 성종 본기에 따르면 그 남편이자 성종의 아비 경종(景宗)의 무덤인 건릉(乾陵)에 합사(合祀)함으로써 무덤이 조성[22]되었다.

---

17) 《高麗史》 世家 卷第四 顯宗 : (2년 1월) 癸卯 契丹主渡鴨綠江引去.
18) 《高麗史節要》 卷三 顯宗元文大王 : (현종 2년 1월) 癸卯. 乃得渡鴨綠江引去, 鎭使鄭成追之, 及其半渡, 尾擊之, 丹兵溺死者甚衆, 諸降城皆復之.
19) 《遼史》 卷十五本紀 第十五 聖宗六 : 二十九年春正月乙亥朔, 班師, 所降諸城復叛。至貴州南峻嶺谷, 大雨連日, 馬駝皆疲, 甲仗多遺棄, 霽乃得渡。己丑, 次鴨祿江。庚寅, 皇后及皇弟楚國王隆祐迎於來運城。壬辰, 詔罷諸軍。己亥, 次東京。
20) 《遼史》 卷十四 本紀第十四 聖宗五 : (統和二十七年十二月) 辛卯, 皇太后崩於行宮。
21) 《續資治通鑒長編》 卷七十三 : (宋真宗大中祥符三年庚戌夏四月) 甲子, 契丹主葬其母於顯州北二十里, 詔以是日廢朝, 仍令邊城禁樂三日。
22) 《遼史》 卷十五 本紀第十五 聖宗六 : (統和二十八年) 夏四月甲子,

《속자치통감장편》 1010년 11월 17일 이윤칙의 발언에서의, "國主欲守其母墳聲言伐高麗駐遼陽城也"의 그 母墳, 구체적으로 승천황태후(와 경종)의 무덤인 건릉(乾陵)은 현 요녕성 북진시에 있었던 현주(顯州)를 분할하여서 설치한 건주(乾州)의 서북쪽 귀퉁이에 있었다. 건주 자체가 경종의 무덤인 건릉을 조성하면서, 무덤을 섬기고자 설치[23]된 것으로서, 현주와 불과 7~8 리[24]밖에 떨어져 있지 않았다.

그런데 "어미의 무덤을 지키고자 요양성에 주둔하며 고려를 정벌하겠다고 떠든다(國主欲守其母墳聲言伐高麗駐遼陽城也)"는 말은 대체 무슨 뜻일까? 사학계 통설에 따르면 요양성은 거란의 동경으로서, 현 요녕성 요양시 백탑구에 있어서 요 성종의 어미 되는 승천황태후의 무덤이 있는 건주와 420 리 정도 떨어져 있었고[25], 건주와 현주[26]는 상접하여 있었다. 어미의 무덤을 지키고자 주둔한다 하면 당연히 건주, 또는 그 근처 현주에 주둔해야 했다. 그런데 하필 동쪽으로 400 리 이상 떨어진 요양성에 주둔을 한다는

葬太后於乾陵。

23) 《遼史》 卷三十八志第八 地理志二 東京道 乾州 : 乾州, 廣德軍, 上, 節度。本漢無慮縣地。聖宗統和三年置, 以奉景宗乾陵。有凝神殿。隸崇德宮, 兵事屬東京都部署司。

24) 《무경총요》 북번지리 현주 조는 건주가 현주 남쪽 7 리에 있다(南至乾州七里)고 했으며, 건주 조는 현주가 건주 동쪽 8 리에 있다(東至顯州八里)고 했다. 또한 의무려산(醫巫閭山) 조는 현주와 건주가 서로 7 리 떨어져 있다(又置乾州顯州在山之南二州相去七里)고 기술했다.

25) 《武經總要前集》 邊防一下 北蕃地理 東京 條 : 西六十里至鶴柱館又九十里至遼水館又七十里至閭山館在醫巫閭山中又九十里至獨山館又六十里至唐葉館又五十里至乾州

26) 《讀史方輿紀要》 卷三十七 山東八 : 廣寧衛司西四百二十里西至山海關五百八十里西南至廣寧中屯衛百八十里東南至海州衛二百四十里南至海百三十里 (명 요동도사 관할의 광녕위는 요나라 당시 현주가 있던 곳으로서 현 요녕성 북진시에 있었다.)

말인가? 즉 사학계 통설이 거란 동경의 위치를 요양시 백탑구에 비정한 바, 이러한 통설에 기대어 보면 전혀 납득이 되지 않는 상황인 것이다. 실제 10월 23일의 기사를 보면, 契丹由顯州東侵高麗라고 하여서 거란의 고려 침공 집결 및 출발지는 현주로 나타나 있다. 이 당시의 '요양'은 현주였던 것이다.

11월 17일 기사의 "今契丹趨遼陽伐高麗" 문구는 쟁점이 될 수 있다. 이 문구만 보면 마치 요양을 고려가 차지하고 있고, 그 요양에 거란이 달려가서(趨) 고려를 정벌하려 한다는 것으로 오해할 수 있는 것이다. 그런데 이 기사는 《고려사》와 《고려사절요》를 근거할 때에 거란이 압록강을 건너서 고려를 침공한 바로 그 다음 날의 기사로서, 송나라는 아직 거란이 고려의 국경을 넘은 사실을 알지 못 한 상태이다. 해당 문장의 앞뒤를 살펴보면, "거란이 고려를 정벌하려면 여진 지역을 지나가야 하는데 여진이 비록 (세력이) 작지만 거란을 이미 크게 물리친 바 있는 까닭에 거란이 쉽게 이기지 못 할 것이다"하는, 전쟁을 앞둔 상황의 외부 관전자로서 그 향방을 전망하고 있는 내용이다. 즉 요양을 고려가 차지하고 있고, 그러한 요양으로 거란군이 진격한다 하는 내용이 아닌 것이다.

또한 "요양으로 달려갔다(趨遼陽)"는 그대로 뒤에 있는 "요양성에 주둔했다(駐遼陽城)"와 상호 수렴하는데, 이 두 기술은 동일 정보의 다른 표현이다. 마찬가지로, 10월 23일의 "거란이 현주로부터 동쪽으로 고려를 침공한다(契丹由顯州東侵高麗)"한 기사 역시 이 두 기사와 상호 수렴하는 동일 정보를 담고 있다. 즉 "요양으로 달려갔다(趨遼陽)"는 표현은 거란 임금을 비롯하여 거란의 군대가 고려 정벌을 위해서 요양에 집결한 상황을 묘사한 것이다.

《속자치통감장편》은 1010년 10월 23일 기사에서 "거란이 현주

(顯州)에서 동쪽으로 고려를 정벌하려 한다."고 적고서, 11월 17일 기사에서는 "고려를 정벌하기 위해 요양(遼陽)으로 달려갔지만 고려로 가기 위해서 여진의 지역을 통과해야 하는데 거란이 여진을 이기는 것은 쉽지 않다"고 적었고, 이어서 "거란 임금이 어미의 무덤을 지키고자 (고려를 정벌하겠다고 큰소리 치면서) 요양성에 주둔해 있다(駐遼陽城)"고 적었다.

즉 《속자치통감장편》의 송(宋) 진종(真宗) 대중상부(大中祥符) 3년(1010) 10월에서 11월에 이르는 해당 기사에 나타나 있는, 서기 1010년 당시의 거란의 요양(遼陽), 즉 동경(東京)은 바로 현주(顯州)였던 것이다.

《문헌통고》 기록 분석

《문헌통고(文獻通考)》는 중국의 역대 제도와 문물((典章制度)을 다룬 책으로서, 마단림(馬端臨)이 편찬(編纂)하여 원(元) 대덕(大德) 11년(1307)에 완성하였으며, 연우(延祐) 6년(1319)에 비로소 처음 간행되었다. 이 책은 동류(同類)의 문헌인 두우(杜佑)의 《통전(通典)》과 견주어 더 실속이 있다는 평을 받아왔으며, 사마광(司馬光)이 편찬하여 1084년에 완성한 편년체 사서인 《자치통감(資治通鑑)》과 상보(相補)적 성격을 띠고 있다.

《문헌통고》의 거란(契丹)전에 1010년 거란이 고려를 침공한 사실을 전하는 기사가 수록(收錄)돼 있으니 다음과 같다.

> **대중상부(大中祥符, 송 진종, 1008~1016) 3년(1010) 11월, 오랑캐 임금(虜主, 요 성종)이 요양으로부터(自遼陽) 직접 (군대를 이끌고) 고려(高麗)를 공격했는데 오히려 고려에게 크게 패하여서 부족(帳族)의 보병(卒)과 기병(乘)으로서 귀환한 자가 극히 드물고 관속(官屬)의 태반(大半)이 전몰(戰沒)하여서 유주와 기주에 령을 내려서 그 지역민을 선발하여 부족한 관리를 메꾸게 하였다.**[27]

앞서 살펴본 《속자치통감장편》은 "由顯州"라는 표현을 썼는데 《문헌통고》는 "自遼陽"이라는 표현을 쓰고 있다.

《속자치통감장편》	《문헌통고》
契丹由顯州東侵高麗	虜主自遼陽親伐高麗

27) 《文獻通考》 卷三百四十六 四裔考二十三 契丹中 : (大中祥符三年) 十一月, 虜主自遼陽親伐高麗, 大為高麗敗覆, 帳族卒乘罕有還者, 官屬戰沒大半, 乃令幽、冀選士人以補其乏。

由(유)와 自(자)는 모두 문장에서 '~로부터(from)'의 뜻으로 사용되는 한자어이다. 즉 《속자치통감장편》의 契丹由顯州東侵高麗는 "거란이 현주로부터 동쪽으로 고려를 침공하다"는 뜻이고, 《문헌통고》의 虜主自遼陽親伐高麗는 "거란 임금(虜主)이 요양으로부터 군대를 직접 이끌고 고려를 정벌하다"는 뜻이다.

《문헌통고》의 이 기술 "虜主自遼陽親伐高麗"는 1010년에 발생한 거란의 고려 침공 때에 거란이 요양(遼陽)을 원정(遠征)기지, 즉 침공을 위한 자국(自國) 내(內)의 최종 집결지로 삼았다는 사실을 알려주고 있는데, 이는 결국 《속자치통감장편》 1010년 10월 23일 기사의 "契丹由顯州東侵高麗"뿐만 아니라 11월 17일 기사의 "今契丹趨遼陽伐高麗" 및 "國主欲守其母墳聲言伐高麗駐遼陽城也"와 통하는 것으로서, 요양(遼陽)이 곧 현주(顯州)였음을 알려주고 있는 《속자치통감장편》 기사의 사실성을 강화하고 있다.

《요사습유보》 기록 분석

《요사습유보(遼史拾遺補)》는 19세기 말 청나라 학자 양복길(楊復吉)이 《요사》의 결핍된 부분을 보완하고자 하는 의도에서 편찬하였다. 이러한 작업은 18세기의 청나라 학자 려악(厲鶚)이 《요사습유(遼史拾遺)》에서 이미 선행하였는데, 서명에서 바로 알 수 있듯이 양복길의 《요사습유보》는 려악의 선행 작업에 잇대어서 더욱 보완한 것이다.

후대의 문헌과 자료를 무조건적으로 배척하는 이들이 있는데 가치의 실상을 전혀 모르고서 갖는 편견일 뿐이다. 아무리 후대의 문헌이라 할지라도 그 문헌이 그 후대에 창작되었다거나 그 편찬자의 생각이 제멋대로 들어가 올바른 정보를 흐려놓은 것이 아닌 다음에는, 더욱이 선대의 여러 자료를 인용하여서 이미 실전한 문헌의 기록을 담고 있다면 그 자체로서 유일 가치를 획득하여 귀중본이 되는 것이다. 즉 충분히 교차 사료로서 역할을 한다.

《요사습유보》는 여진국(女直國)전에서 1010년에 거란이 고려를 침공한 사실을 기술하면서 〈진종실록(眞宗實錄)〉의 기록을 발췌하여 적고 있는데 여기서 이 〈진종실록〉은 《속자치통감장편(續資治通鑑長編)》의 권43에서 권99에 이르는 송 진종(真宗)대의 편년체 기록을 가리키는 것으로 판단된다.

특히 《요사습유보》 여진국전의, 1010년 거란의 고려침공 관련 기사는 《속자치통감장편》 송 진종 대중상부(大中祥符) 3년, 즉 1010년 기사에서 11월 17일 기사의 핵심 일부를 발췌하여 편집한 것이다.

《續資治通鑒長編》 卷七十四·宋真宗·大中祥符三年	《遼史拾遺補》 卷四·女直國
李允則言：「頃年契丹加兵女真。女真觽才萬人，所居有灰城，以水沃之，凝為堅冰，不可上，距城三百里，焚其積聚，設伏於山林間以待之。契丹既不能攻城，野無所取，遂引騎去，大為山林之兵掩襲殺戮。今契丹趨遼陽伐高麗，且涉女真之境，女真雖小，契丹必不能勝也。」仍畫圖以獻	雄州言契丹移遼陽城言征高麗且涉女眞之境女眞衆雖少契丹必不能勝仍畫圖獻
又言：「契丹以西樓為上京，遼陽為東京，在中京正東稍南。其習俗既葬畢守墳，或云國主欲守其母墳，聲言伐高麗駐遼陽城也。」	契丹以西樓為土京遼陽為東京在中京正東稍南又云契丹習俗既葬必守墳或云國主欲守其母墳聲言征高麗駐遼陽城

여기서 우선 쟁점이 되는 부분은 契丹移遼陽城言征高麗이다. 다른 발췌 부분은 대체로 동일한데 유독 이 문구만이 다른 것이다. 《요사습유보》의 契丹移遼陽城言征高麗는 《속자치통감장편》의 契丹趨遼陽伐高麗를 발췌하여 옮겨 적으면서 글자를 바꾸고, 없던 것을 추가한 것이다. 이를 정리하면 다음과 같다.

《속자치통감장편》	《요사습유보》
契丹趨遼陽伐高麗 ① 趨가 移로 바뀜 ② 伐이 征으로 바뀜 ③ 城言이 중간에 추가됨	契丹移遼陽城言征高麗

①은 필사본을 참고하거나 필사하여 자료를 수집하는 과정에서 趨를 移로 잘못 적은 것으로 판단된다.

②는 두 글자가 서로 같은 뜻이므로 문제될 것이 없다

③에서 城은 趨를 移로 잘못 적으면서 말을 맞추기 위해 추가된 것으로 판단된다. 본래의 契丹趨遼陽伐高麗에서는 "거란이 요양으로 달려가서 고려를 정벌한다"로 그 문장이 매끄럽지만 옮기는 과정에서 趨를 移로 잘못 필사함으로써 오인한 까닭에, 요양을 옮길 수 없으므로 요양성을 옮기는 것으로 하여 城을 추가한 것으로 보인다. 그런데 "거란이 요양성을 옮기고 고려를 정벌했다(契丹移遼陽城征高麗)"하면 1010년 당시의 시대 상황이나 문장 자체로서도 말이 되지 않으므로 여기에 다시 言을 끼워넣어서 "거란이 요양성을 옮기고서 고려를 정벌하겠다고 말했다(契丹移遼陽城言征高麗)"로 교정한 것이다. 그러나 이렇게 했음에도 뒤에 오는 且涉女眞之境女眞衆雖少契丹必不能勝仍畵圖獻과 전혀 어울리지 않으므로 결과적으로 엉터리가 돼버렸다.[28]

《요사습유보》 여진국전의 해당 기사는 《속자치통감장편》 송 진종 대중상부 3년 11월 17일 기사의 일부를 발췌하면서 잘못 옮겨 적은 까닭에 정보의 오류가 있으나 이와 같이 이 오기(誤記)된 부분을 분석을 통해 밝혀냄으로써 정보를 교정할 수 있었다. 결과적으로 《요사습유보》의 해당 기사는 1010년 당시 거란 요양(동경)의 위치에 대한 정보를 제시하고 있지 않으나 《속자치통감장편》의 관련 기사에 대한 오독과 오인을 방지할 하나의 이정표 구실을 하는 한편으로, 앞의 《문헌통고》와 마찬가지로 당시 요양이 현주였음을 알려주고 있는 《속자치통감장편》 기사의 사실성을 강화하는 교차 사료의 역할을 하고 있다.

---

28) 그러나 《속자치통감장편》의 1010년 거란의 고려 침공 관련한 다른 핵심 기사인 其習俗旣葬畢守墳或云國主欲守其母墳聲言伐高麗駐遼陽城也는 《요사습유보》가 又云契丹習俗旣葬必守墳或云國主欲守其母墳聲言征高麗駐遼陽城로 적힘으로써 거의 손실 없이 그 정보가 보전되어 있다.

《황송십조강요》 기록 분석

《황송십조강요(皇宋十朝綱要)》는 남송(南宋)의 이식(李埴)이 편찬한, 북송(北宋)의 아홉 황제와 남송의 고종(高宗) 대까지의 역사를 편년체로 기술한 송나라 역사서이다. 그 편찬년도는 정확히 알 수 없으나, 이식이 1238년에 죽었으므로 늦어도 1238년 이전에는 완성된 것이 분명하다.

이 문헌의 1010년, 거란의 고려 침략 관련 기사는 그 표면적 내용이 당시 요양(遼陽)을 고려 영토이자 2차 침략 전쟁의 주된 전장(戰場)으로 보고자 하는 사람들의 구미(口味)를 감정적으로 강하게 당긴다.

우선 해당 기사의 원문을 보자.

> (庚戌大中祥符三年契丹主隆緒統如二十八年)是歲契丹擧兵伐高麗遣使來告契丹兵至遼陽大為高麗所敗帳族卒乘少有還者
>
> 《皇宋十朝綱要·第三》

이 기사는 해석에 있어서 논란의 여지가 있어서 엄밀성이 요구되는 까닭에 그 해석될 수 있는 모든 안을 벌여놓고서 따져보겠다. 이 기사는 다음과 같이 세 가지로 해석될 수 있다.

[안1] 이 해에 거란(契丹)이 거병(擧兵)하여 고려(高麗)를 공격했다. (거란이) 사신을 보내와서 알리길, "거란의 군대(契丹兵)가 요양에 도착해서(至遼陽) 고려에게 크게 패배했다(大為高麗所敗). 부족(帳族)의 군사들(卒乘)이 귀환한 자가 적었다(少有還者)."고 하였다.

[안2] 이 해에 거란(契丹)이 거병(擧兵)하여 고려(高麗)를 공격

했다. (거란이) 사신을 보내와서 알리길, "거란의 군대(契丹兵)가 요양으로 귀환했는데(至遼陽) 고려에게 크게 패배해서(大為高麗所敗) 부족(帳族)의 군사들(卒乘)이 귀환한 자가 적었다(少有還者)."고 하였다.

[안3] 이 해에 거란(契丹)이 거병(舉兵)하여 고려(高麗)를 공격했다. (거란에) 보냈던 사신이 돌아와서 보고하길, "거란의 군대(契丹兵)가 요양으로 귀환했는데(至遼陽) 고려에게 크게 패배해서(大為高麗所敗) 부족(帳族)의 군사들(卒乘)이 귀환한 자가 적었다(少有還者)."고 하였다.

이 기사 해석의 관건(關鍵)은 '至遼陽'을 어떻게 해석하는 것이 옳은가 하는 것이다. 이 문구 자체는 "요양에 도착했다"는 뜻이다. 즉 [안1]이 문장 순서에 따른 있는 그대로의 해석으로서, 그 담고 있는 바의 개요는 거란군이 요양에 도착해서 고려군과 싸웠는데 패배했다는 뜻이다. 이렇게 해석하면 당시 요양(遼陽)이 고려 영토였고, 동시에 주된 전장(戰場)이었던 셈이 된다.

그러나 어떤 글을 읽든, 특히 한문을 해석하며 읽을 때에는 표면적 의미에 발목이 잡히거나 문구(文句), 또는 자구(字句)의 올가미에 붙들리는 것을 경계해야 한다. 즉 항상 앞뒤의 전체적인 맥락 속에서 해석해야 한다. 《황송십조강요》의 '至遼陽'도 마찬가지여서, '至遼陽'은 '至遼陽' 자체가 아니라 是歲契丹舉兵伐高麗遣使來告契丹兵至遼陽大為高麗所敗帳族卒乘少有還者의 문장 전체가 지닌 맥락에서 그 의미하는 바를 헤아려봐야 한다.

따라서 《황송십조강요》의 해당 기사를 정밀하게 분석하기 위해서 다음과 같이 분해하였다.

구분	원문	국역

(가)	是歲契丹擧兵伐高麗	이 해에 거란이 거병하여 고려를 정벌했다.
(나)	遺使來告	① 사신을 보내와서 알렸다. ② 보낸 사신이 와서 보고했다.
(다)	契丹兵至遼陽	거란군이 요양에 도착했다.
(라)	大為高麗所敗	고려에게 크게 패배했다.
(마)	帳族卒乘少有還者	부족의 군사들 중에 귀환한 자가 적었다.

(가)에서 '是歲'는 경술년(庚戌)이자 북송 진종(真宗) 대중상부 3년(大中祥符三年)이자 거란 임금 야율융서(契丹主隆緖, 성종) 통화 28년(統如二十八年)으로서 서기 1010년을 가리킨다.

(나)의 '遺使來告'에서 遺使는 사신을 보냈다는 말이므로 遺使來告는 사신을 보내서 알렸다는 뜻인데, 거란이 고려를 공격하였으나 대패(大敗)하여서 귀환한 군사의 수가 적었다는, 말하자면 대외적으로 치욕적인 사실을 송나라 측에 사신까지 보내서 알려줄 까닭이 있을까? 《송사(宋史)》와 《속자치통감장편》 등 관련 사서에도 그러한 기록이나 정황이 관찰되지 않는다.

따라서 우선 (나)①의 안대로 (가)의 '거란이 거병하여서 고려를 정벌한다'는 사실을 거란에서 송에 사신을 보내서 알려왔다는 뜻으로 봐야 할 것이다. 실제 《요사》 성종 본기 통화 28년(1010) 8월 기사에 고려 침공 계획을 송나라 측에 알린 사실이 기술[29]돼 있고, 《속자치통감장편》 송 진종 실록 대중상부 3년(1010) 기사에도 그 해 10월 6일[30]과 23일[31] 두 차례에 걸쳐서, 거란이 보낸

29) 《遼史》 卷十五本紀 第十五 聖宗六 : (統和二十八年秋八月) 丁卯, 自將伐高麗, 遣使報宋。

30) 《續資治通鑒長編》 卷七十四 宋真宗 大中祥符三年 (庚戌) : (冬十月) 辛亥, 雄州言契丹涿州移牒, 言本國將征高麗, 遣右監門衛將軍耶

사신인 우감문위장군(右監門衛將軍) 야율영(耶律寧)이 첩문(牒文)을 가지고 소식을 알려온 사실이 기술돼 있다. 즉 이러한 사실정황을 통해서 (가)의 사실을 (나)를 통해서 송나라 측이 알게 된 것으로 해석할 수 있는 것이다.

그러나 (가)의 시제(時制) 표현과, (가)와 (나)의 서술 순서가 걸림돌이다. (가)는 是歲라는 표현을 통해서 이미 지나간 과거의 일을 간략 서술하고 있다. 만약 (나)를 통해서 (가)의 일을 송(宋) 측이 알게 된 바를 서술하고자 하였다면 그 서술 순서에 있어서 매우 어색한 구성이다. 즉 이것을 의도한 것이라면 서술 순서에 있어서 (나)는 (가)의 앞에 놓여야 하는 것이다. 그런데 (나)가 (가)의 뒤에 배치돼 있다는 사실은 (나)가 (가)와 관계있는 문장이 아니라 뒤의 (다)~(마)와 관계가 있어서라고 판단하는 것이 합리적이다.

즉 (나)의 '遣使來告'에서 告한 내용이 (다)~(마)에 해당하는 것이다. 그렇다면 다시 돌아가서, 遣使의 정체와 그 주체를 제대로 따져볼 필요가 있다. 앞에서 거론한 바대로 (다)~(마)가 담고 있는 사실은 거란 측으로서는 국내외적으로 매우 치욕적인 것이다. 이러한 사실을 송나라 측에 사신까지 보내서 알려줄 까닭이 전혀 없다. 즉 (나)의 '遣使來告'에서 遣의 주체는 송나라 조정이고, 使의 정체는 송나라 측이 거란에 보낸 사신이며, 이들이 돌아와서 보고한 정보가 (다)~(마)인 것이다.

《요사》 성종 본기 통화 28년 8월 21일 기사에 따르면 거란은

律寧奉書來告。

31) 《續資治通鑑長編》 卷七十四 宋真宗 大中祥符三年 (庚戌) : (冬十月戊辰) 知雄州李允則言契丹由顯州東侵高麗, 期以十二月還中京, 蓋慮朝廷使至彼也。

성종이 고려를 친정(親征)한다는 사실을 송나라에 알렸다. 《속자치통감장편》 송 진종 대중상부 3년 10월 23일 기사는 거란이 송나라에 알려온 바의 일부를 이윤칙의 발언을 통해서 비교적 상세히 전하고 있는데, “거란이 현주(顯州)에서 동쪽으로 고려를 침공하는데, 기한을 두길 12월까지 중경(中京)으로 돌아온다 하였으니 아마도 오랑캐(虜, 거란) 조정(朝廷)에서 (송나라) 사신이 저곳(彼, 거란 중경)에 (오는 것을 고려한 것)입니다.” 하였다. 즉 거란이 정벌전(征伐戰)을 마치고 12월까지 중경으로 돌아온다고 한 까닭은 송나라가 보낸 사신이 중경에 그 즈음에 도착할 것을 미리 알고 있었기 때문인데 이는 어떠한 연례행사가 그 즈음에 있었음을 암시한다. 그것은 야율융서(耶律隆緖), 즉 거란 성종(聖宗)의 생일이었다. 성종은 경종(景宗) 보령(保寧) 3년(971) 12월 27일에 출생[32]하였다.

《속자치통감장편》 송 진종 대중상부 3년(1010) 10월 22일 기사에 거란으로 보내는 사신단을 임명한 사실[33]이 나온다. 이들은 생신사(生辰使)와 정단사(正旦使)가 모두 포함된 사신단이었다. 다음날 23일의, 거란이 알려온 "기한을 두고 12월까지는 중경에 돌아오겠다(期以十二月還中京)"는 말은 연례행사인 이들 사신단이 출발할 것을 알고서 미리 알린 것이다.

송나라에서 거란에 보낸 사신단은 그 성격과 목적이 거란 성종의 생신을 축하하는 생신사와 신년(新年)을 하례(賀禮)하는 정단

32) 《遼史》 卷八 本紀第八 景宗上 : (保寧三年十二月) 己丑, 皇子隆緒生。

33) 《續資治通鑒長編》 卷七十四 宋真宗 大中祥符三年 (庚戌) : (冬十月) 丁卯, 命右司諫、直史館李迪為契丹主生辰使, 六宅使、合州團練使白守素副之。監察御史乞伏矩為正旦使, 供奉官、閤門祇候翟繼思副之。

사였으므로 예정보다 늦게 성종과 거란군이 귀환한 1011년 1월 말까지 거란에 머물러야 했을 것이다.[34]

한편 《속자치통감장편》은 거란이 고려를 침공한 지 한 달 남짓 되는 1010년 12월 1일 기사에서, 웅주(雄州)의 지주(知州) 이윤칙이 "契丹敗衂之狀"이라고 하여서 거란이 고려에게 패배하고 있는 실상(實狀)에 대해서 송나라 조정에 보고한 바를 간략히 전하고 있다.[35] 이즈음에 대해서 《요사》와 《고려사절요》는 거란에게 고려의 여러 주(州)와 성(城)이 함락된 상황을 기술하고 있어서 대조적인데, 이는 정보 취득과 보고에 걸리는 시차에 따른 것이다. 어찌되었든 《속자치통감장편》의 1010년 12월 1일 기사는 송나라 측이 각종 첩보를 통해서 거란과 고려 두 나라의 전쟁 상황을 주목하고 있었음을 알려주는 한 방증이다.

즉 (나)의 '遣使來告'에서 遣使는 송나라 측이 거란에 보낸 생신사와 정단사 등의 사신단이며, 이들이 거란에 머물면서 요 성종이 귀환하기까지 기다렸다가 전쟁의 그 결과를 모두 목격하고서 돌아와서 송나라 조정에 보고한 내용이 바로 (다)~(마)인 것이다.

(다)의 '至遼陽'이 《황송십조강요》 기사의 핵심인데, 이로써 그 정체가 쉽게 풀리게 되었다.

---

34) 이 사실을 고려하면 (나)의 '遣使來告'에서 遣使의 주체는 宋으로서, 使는 송이 거란에 보낸 생신사·정단사이며, 이들이 來告한 내용이 (다)~(마)에 해당한다고 판단할 수 있다.

35) 《續資治通鑑長編》 卷七十四 宋真宗 大中祥符三年 (庚戌) : 十二月乙巳朔, 陳堯叟自汾陰來朝, 宴於長春殿。故事, 內殿曲宴, 三司使不預, 時丁謂計度糧草還, 特召預焉。雄州言契丹敗衊之狀, 上曰 : 「戰, 危事, 蓋不得已, 非可好也。」。

(다)의 '至遼陽'을 출정(出征)의 의미로 해석하면 요양(遼陽)이 당시 고려의 영토이자 전장(戰場)이자 거란이 고려에 대패(大敗)한 장소인 것이 된다. 즉 거란은 고려를 침공하였다가 고려의 영토인 요양에서 대패하고서 퇴각한 것으로 1010년 전쟁을 이해하게 된다. 그런데 이러한 이해는 관련 사실에 총체적(總體的)으로 어긋난다. 1010년 거란의 고려 침공에 따른 두 나라 사이의 전쟁은 한 장소에서 단기간에 일어난 것이 아니라 여러 장소에서 석 달 가까이 진행된 장기전이었다. 《요사》와 《고려사》·《고려사절요》의 관련 기록에는 전투가 치러진, 고려 영토 내의 무수한 지명이 등장하는데 그 가운데에 '요양'은 전혀 언급돼 있지 않다. 뿐만 아니라 송(宋)과 고려(高麗) 관계사를 다룬 역대 문헌에서 요양이 고려의 영역으로 기술된 바가 전무한 반면에 거란의 영역으로 기술된 바는 무수하다. 즉 당시 송나라는 '요양'을 거란의 영역으로 인식했지 고려의 영역으로는 전혀 인식하지 않았다. 즉 '至遼陽'을 출정(出征)의 의미로 해석하여 요양을 당시 고려영토로 이해하는 것은 이러한 모든 사실에 크게 어긋나는 것이다. 달리 말하면, '至遼陽'은 출정을 의미하는 것이 아닌 것이다.

(라)와 (마)는, (라)가 원인이 되고 (마)가 결과가 되는 인과관계이다. 즉 고려에게 대패한 까닭에 귀환한 군사의 수가 적었던 것이다. 그런데 송나라 측은 거란이 고려에게 크게 패배한 것과 이로 인해서 귀환한 군사의 수가 적었다는 사실을 언제 어떻게 알게 됐을까? 당연히 생신사와 정단사로서 거란에 파견되어 머물고 있던 송나라 사신단이 패퇴한 거란군의 귀환을 거란에서 이를 직접 목격함으로써 알게 된 것이다.

따라서 (다)의 '至遼陽'은 거란 성종과 그 군대가 고려에서 퇴각하여 귀환한 것을 가리키는 것으로서, 여기서 遼陽은 처음에는 고려 정벌을 위한 집결과 출정의 기지 역할을 한, 마지막에는 그 귀환 장소가 된, 거란의 영토였던 것이다. 이로써 《황송십조강요》의 해당 기사는 [안3]의 해석이 정확하다는 결론을 내릴 수 있다.

(庚戌大中祥符三年契丹主隆緒統如二十八年)是歲契丹擧兵伐高麗遣使來告契丹兵至遼陽大為高麗所敗帳族卒乘少有還者

《皇宋十朝綱要·第三》

[안3] 이 해에 거란(契丹)이 거병(擧兵)하여 고려(高麗)를 공격했다. (거란에) 보냈던 사신이 돌아와서 보고하길, "거란의 군대(契丹兵)가 요양으로 귀환했는데(至遼陽) 고려에게 크게 패배해서(大為高麗所敗) 부족(帳族)의 군사들(卒乘)이 귀환한 자가 적었다(少有還者)."고 하였다.

《황송십조강요》의 기사는 앞서 다룬 《문헌통고》의 해당 기사와 동일한 정보를 담고 있으면서도 다른 시점을 취하고 있다.

서명	기사	핵심
《문헌통고》	虜主自遼陽親伐高麗大為高麗敗覆帳族卒乘罕有還者官屬戰沒大半乃令幽冀選士人以補其乏。	自遼陽
《황송십조강요》	是歲契丹擧兵伐高麗遣使來告契丹兵至遼陽大為高麗所敗帳族卒乘少有還者	至遼陽

《문헌통고》의 기자(記者)는 시간 순서에 따라 그 진행 사실을 서술한 반면에 《황송십조강요》의 기자는 하나의 틀로서의 대사건을 먼저 제시하고, 그 뒤에 대사건의 결말에 대해서 보고하는 형태를 취하여서, 전쟁을 전후(前後)로 구분하여 서술한 것이다. 즉 《문헌통고》의 '自遼陽'은 출정하는 것이고, 《황송십조강요》의 '至遼陽'은 귀환한 것이다.

《황송십조강요》의 '至遼陽'이 고려 소유의 요양에 도착하여 고려군과 전투를 벌인 것을 뜻하는 것이 아니라 전쟁에서 퇴각하여 귀환한 것을 뜻하는 것임은 지금까지 살펴 본 여러 사서의 관련 기사를 교차해서 보는 것으로써 또한 분명히 할 수 있다.

서명	기사	핵심
《속자치통감장편》	契丹由顯州東侵高麗	由顯州
	契丹趨遼陽伐高麗	趨遼陽
	國主欲守其母墳聲言伐高麗駐遼陽城	駐遼陽城
《문헌통고》	虜主自遼陽親伐高麗	自遼陽
《요사습유보》	國主欲守其母墳聲言征高麗駐遼陽城	駐遼陽城

즉 요양(遼陽)은 현주(顯州)로서, 고려 침공을 앞둔 거란군의 원정기지이자 집결지였다. 따라서 전쟁에서 지든 이기든 돌아올 곳이기도 하였다. 요양(遼陽)은 곧 동경(東京)이자 동경의 대칭(代稱)이었으므로, 동경이 현주에 있었다는 결론에 도달할 수 있다.

정리

송 대중상부 3년, 거란 통화 28년, 고려 현종 원년 경술(庚戌)년, 서기 1010년에 거란의 성종(聖宗)이 직접 군사를 이끌고 고려를 침공한, 사학계 통설이 지은 명칭인 이른바 제 2차 여·요(麗遼) 전쟁의 전말을 기술한, 주요 문헌의 해당 기사를 분석하여서 당시 거란의 요양(遼陽), 즉 동경(東京)의 위치에 접근하였다.

《속자치통감장편》은 그 해 10월 23일 기사에서 "거란이 현주에서 동쪽으로 고려를 침공하는데 기한을 두길 12월까지 중경으로 돌아온다(契丹由顯州東侵高麗期以十二月還中京) 하였다."고 거란이 송나라에 보낸 공첩(公牒)이 전한 사실을 지웅주(知雄州) 이윤칙의 전언(傳言)으로써 기술하여서 고려 침공의 원정기지이자 집결지가 현주(顯州)였음을 증언하였다.

11월 17일의 기사에서는 역시 이윤칙의 발언을 통해서 "지금 거란이 요양으로 달려가서 고려를 정벌하는데 또다시 여진 지역을 건너가게 되니, 여진은 비록 작으나 거란은 결코 이길 수 없습니다(今契丹趨遼陽伐高麗且涉女真之境女真雖小契丹必不能勝也)."라고 하여서 거란과 고려 두 나라의 전쟁에 대해서 전망하였는데 이 "요양으로 달려가다(趨遼陽)"는 표현으로 인해서 마치 요양이 당시 고려의 영토였고, 거란이 요양을 공격하려 하는 것으로 오인(誤認)할 여지를 만들고 있는 듯 보였으나 그 뒤를 이은 발언에서 "혹 말하길, 거란 임금이 그 어미의 무덤을 지키고자, 고려를 정벌하겠다 큰소리치며 요양성에 머물고 있는 것이라고 합니다(或云國主欲守其母墳聲言伐高麗駐遼陽城也)."라고 하여서 송나라 측이 정보를 입수한 당시 기준으로 거란군이 요양성에 머물고 있었음(駐遼陽城)을 알려주고 있어서, 이로써 앞의 "요양으로 달려가다

(趨遼陽)"는 거란 제도(諸道)가 요양에 집결하여 출정을 기다리는 상황을 묘사한 표현임을 이해하였다.

또한 거란 성종의 어미 승천황태후는 사후 현주의 북쪽 20 리에서 장사지내고서 현릉의 동남쪽, 건주의 서북쪽 귀퉁이에 있는 경종의 무덤인 건릉(乾陵)에 합사하였는데 그 때가 1010년 4월로서, 건릉이 있는 건주(乾州)는 경종의 무덤을 조성하면서 현주 땅을 떼어서 만든 주인 까닭에 현주와 바로 붙어 있었다. 이러한 사실은 《속자치통감장편》 1010년 10월 23일 기사의 "현주에서 동쪽으로 고려를 침공하다(由顯州東侵高麗)"는 기술, 그리고 11월 17일의 "거란 임금이 그 어미의 무덤을 지키고자 고려를 정벌하겠다 큰소리치면서 요양성에 주둔하고 있는 것이다(國主欲守其母墳聲言伐高麗駐遼陽城)"한 기술과 교차가 성립하면서 요양(遼陽)이 곧 현주(顯州)이거나 적어도 현주 인근에 있었음을 알려주고 있다.

《문헌통고》는 "거란 임금이 요양으로부터 친히 고려를 정벌하였다(虜主自遼陽親伐高麗)"고 기술하였는데, 여기에 쓰인 "自遼陽"이라는 표현은 《속자치통감장편》 1010년 10월 23일 기사의 "由顯州"와 맥락이 일치하는 표현이다. 이로써 요양(遼陽)이 곧 현주(顯州)를 가리킨다는 사실이 거듭 확인되었다.

《황송십조강요》는 《문헌통고》와 동일한 정보를 다른 구성으로써 기술하였다. 《문헌통고》는 시간적 순서대로 거란의 고려 침공에 따른 전쟁의 전말을 기술한 반면에 《황송십조강요》는 전쟁의 전말을 전후로 나누되 전쟁의 결과에 초점을 두었다. 이로 인해서 두 문헌 모두 '요양(遼陽)'이 핵심 장소로 언급돼 있으나 시간 순서대로 기술한 《문헌통고》는 '自遼陽'이라고 하여서 출정(出征)의 장소로, 《황송십조강요》는 '至遼陽'이라고 하여서 귀환(歸還)의 장소로 제시하였다. 《황송십조강요》의 이러한 기술은 자칫 "요양이 당시 고려 소유였고, 주요 전장이었다"하는, 독자의 착오(錯誤)를 야기할 수 있다.

《요사습유보》는 여진국(女直國)전에서 《속자치통감장편》 1010년 11월 17일 기사의 일부를 발췌하여 기술하였는데 원전의 기록을 필사한 후에 다시 정리하는 과정에서 본래의 글자가 와전(訛傳)되었고, 새로운 표현이 추가되면서 원전의 정보가 다소 훼손되었다.

이상의 분석으로써 1010년 당시 거란 요양, 즉 동경의 위치가 현 요녕성 북진시(北鎮市)에 자리해 있던 현주(顯州), 적어도 그 인근이었다는 사실이 분명해졌다.

《요사》 태종본기를 중심하여 본 동경의 위치

동단국(東丹國) 인황왕(人皇王) 야율배(耶律倍)는 태종이 즉위[1]하자 우차상(右次相) 야율우지(耶律羽之)를 태종에게 보내서 동단국민(東丹國民) 사민(徙民)[2]을 건의[3]하였다. 이에 태종이 허락한 바, 동단국 백성이 동평군(東平郡) 지역에 대거 옮겨가서 살게 되었다. 실상 동단국 자체가 거란에 예속(隸屬)된 것인데, 이 사업은 요 태종 천현(天顯) 3년(928) 12월(음력, 이하 생략)에 완료[4]되었다.

이와 같이 동단국민이 이거(移居)되고, 동단국이 거란에 예속된 까닭은 《요사》 야율우지전[5]과 태종본기[6]에 잘 나타나 있는데, 대

---

1) 927년(천현 2년) 11월 임술(壬戌)일 즉위(《遼史》 卷三本紀第三 太宗上 : 冬十一月壬戌, 人皇王倍率群臣請於後曰 :「皇子大元帥勛望, 中外攸屬, 宜承大統。」後從之。是日即皇帝位。)

2) 달리 천거(遷居), 또는 이거(移居)로 쓸 수 있다.

3) 《遼史》 卷六十七 列傳第五 耶律羽之 : 太宗即位, 上表曰 :「我大聖天皇始有東土, 擇賢輔以撫斯民, 不以臣愚而任之。國家利害, 敢不以聞。渤海昔畏南朝, 阻險自衛, 居忽汗城。今去上京遼邈, 既不為用, 又不罷戍, 果何為哉? 先帝因彼離心, 乘釁而動, 故不戰而克。天授人與, 彼一時也。遺種浸以蕃息, 今居遠境, 恐為後患。梁水之地乃其故鄉, 地衍土沃, 有木鐵鹽魚之利。乘其微弱, 徙還其民, 萬世長策也。彼得故鄉, 又獲木鐵鹽魚之饒, 必安居樂業。然後選徒以翼吾左, 突厥、黨項、室韋夾輔吾右, 可以坐制南邦, 混一天下, 成聖祖未集之功, 貽後世無疆之福。」表奏, 帝嘉納之。是歲, 詔徙東丹國民於梁水, 時稱其善。

4) 《遼史》 卷三本紀第三 太宗上 : 十二月癸卯, 祭天地。庚戌, 聞唐主復遣使平聘, 上問左右, 皆曰 ;「唐數遣使來, 實畏威也。未可輕舉, 觀釁而動可也。」上然之。甲寅, 次杏堝, 唐使至, 遂班師。時人皇王在皇都, 詔遣耶律羽之遷東丹民以實東平。其民或亡入新羅、女直, 因詔困乏不能遷者, 許上國富民給贍而隸屬之。升東平郡為南京。

체로 발해유민의 거센 저항과 주변국으로의 이탈에 따른 심각한 수준의 국가위기가 원인이었다. 그런데 《요사》 종실열전 의종배(義宗倍)전은 이와 다른 배경을 제시하고 있다. 동단국 측의 의지와 요청에 따른 것이 아니라 황위(皇位) 쟁탈전에서 패배한 동단국왕 야율배가 반역할 것을 의심한 태종의 압력이 작용한 것으로 기술[7]돼 있는 것이다. 동단국민의 이거와 동단국의 거란 예속은 이러한 내외적 요인이 복합적으로 작용한 것으로 판단할 수 있다.

이로써 동단국민은 요 태조가 919년에 요양고성(遼陽故城)을 수리해서 설치한 동평군(東平郡) 지역에 옮겨졌고, 동단국의 도성(都城)인 천복성(天福城) 역시 이곳에 이치(移置)되었다. 사학계 통설은 동단국이 옮겨온 동평군을 현 요양시 백탑구에 고정하여 보고 있다. 그런데 이 위치는 소택지·요하·혼하·태자하 등에 의해서 그 서쪽의 거란 지역과 강하게 분리돼 있다. 사학계는 전통적으로 고구려 요동성과 안시성 등을 이 일대에 비정하여 놓고서 이러한 천연의 해자(垓字)가 수·당 등의 침략을 방해하는 차단선 역할을 하였다고 설명해오고 있지 않은가? 1029년 대연림과 1116년 고영창 역시 이 지역의 이러한 자연적 분리성에 기대어서 반란을 일으킨 바 있다.

---

5) ① 오랑캐들(발해유민)이 번성하는데 동단국과 그 도읍 천복성(天副城)이 거란 상경(上京)에서 지나치게 먼 변경에 있어서 방비가 어렵고, 후환이 두렵다. ② 양수지지(梁水之地)는 본래 발해인들의 고향(故鄉)이고, 그 땅이 기름지고 나무·철·소금·해산물 등의 이익이 있으니 발해인들을 이곳으로 이주시켜 살게 하면 반드시 즐거워하며 살 것이다. ③ 발해인들을 이주시킨 후에 (잘 길들여서) 선별하면 천하(天下)를 하나로 만드는 데에 좌익(左翼)으로 쓸 수 있다.

6) ④ 백성(동단국)들이 혹은 신라(고려)로, 혹은 여진으로 유입됨(도망감)에 이를 통제하는 데에 역부족.

7) 《遼史》 卷六十四 列傳第二 宗室 義宗倍 : 太宗即立, 見疑, 以東平為南京, 徙倍居之, 盡遷其民。

만약 사학계 통설대로 현 요양시 백탑구 일원에 동평군이 있었고, 이곳에 동단국 천복성이 이치되었다면, 함께 천거(遷居)된, 성분 차제가 발해민(渤海民)인 동단국민에 의해서 천복성은 완전히 포위된 형국이다. 뿐만 아니라 소택지·요하·혼하·태자하 등의 천연해자가 거란의 간섭과 통제를 가로막는 형국이므로 오히려 요 태종 입장에서는 거란 깊숙이 옮겨온 동단국왕 야율배가 반란을 일으키지 않을까 더욱 우려해야 했을 것이고, 야율배 입장에서는 함께 이주해온 발해민의 반란과 이탈을 또한 더욱 염려해야 했을 것이다. 즉 동단국민 천거 목적이 무색해진 꼴이다.

애초의 천거 목적에 부합하는 편성은 동단왕이 거주하는 치소인 천복성을 거란과 분리되고, 발해민에게 포위된 위치인 현 요양시 백탑구에 두는 것이 아니라 천거된 발해민의 집단 반란 시 피해를 최소화할 수 있으면서, 동시에 거란이 통제하기에 용이한 위치인 현 북진시를 중심한 요하 서쪽에 두고서, 다만 요하 동쪽에 발해민을 관리할 별도의 부서(府署)를 두어서 천복성의 지휘를 받게 하는 것이다.

동평군에 옮겨옴으로써 거란에 예속된 동단국의 천복성이 현 요양시 백탑구에 있었다고 보는 사학계 통설의 견해는 동단국민 천거 후에 보인 동단국왕 야율배의 행적에도 어긋난다. 《요사》 종실열전 의종배전은 "야율배(倍)는 처음에 책을 만 권이나 사서 의무려산 꼭대기에 있는 망해당(望海堂)에 보관하였다."[8]고 기술하였고, 지리지 동경도 현주(顯州) 조는 "현릉(顯陵)은 동단국 인황왕의 무덤이다. 인황왕의 성품은 독서를 좋아하고, 사냥을 즐거워하지 않았다. 수만 권의 책을 구입하여 의무려산(醫巫閭山)의 꼭대기

8) 《遼史》 卷六十四 列傳第二 宗室 義宗倍 : 倍初市書至萬卷, 藏於醫巫閭絕頂之望海堂。

기에 집을 지어놓고서 (그 집을) 망해당(望海)이라 이름하였다."[9]고 기술하였다. 또한 야율배는 그 아들 요 세종 야율올욕(耶律兀欲, 耶律阮)에 의해서 의무려산에 묻혔는데, 이 까닭에 대해서 "인황왕이 의무려산 산수의 기이함과 수려함을 사랑하였기에 의무려산에 장사지냈다."[10]고 밝혔다.

즉 이들 기록은 야율배가, 사학계가 동평군과 남경(훗날 동경)을 고정한 현 요양시 백탑구가 아니라 이곳에서 요하 서쪽으로 무려 수백 리 떨어진 의무려산을 벗하여 지냈다고 적고 있다. 이들 기록에 따르면, 동단국의 지휘 소통은 의무려산 바로 옆에 있는 현 북진시(北鎮市) 일대에서 이루어졌다고 볼 수밖에 없다. 비록 거란에 예속됐어도 엄연히 하나의 국가인 동단국[11]의 통치자가 왕도(王都)를 수백 리 벗어난 곳에서 지냈다 하는 것은 상식 밖의 일이다. 왕이 순행(巡幸)할 때에 그 휘하 신하와 관리, 각종 기구는 그 왕을 따라서 움직였는데, 이를 행궁(行宮)[12]이라고 한다. 그런데 만약 이러한 성격의 행궁이 있었으되 동단국이 거란에 옮겨온 928년부터 야율배가 후당으로 달아난 930년까지 줄곧 한 자리에 존치돼 항시 운영되고 있었다면 그것은 행궁이 아니라 실제 도성이었다고 봐야 할 것이다.

---

9) 《遼史》 卷三十八 志第八 地理志二 東京道 顯州 : 顯陵者, 東丹人皇王墓也。人皇王性好讀者, 不喜射獵, 購書數萬卷, 置醫巫閭山絕頂, 築堂曰望海。

10) 《遼史》 卷三十八 志第八 地理志二 東京道 顯州 : 大同元年, 世宗親護人皇王靈駕歸自汴京。以大皇王愛醫巫閭山水奇秀, 因葬焉。

11) 《요사》 태종본기 930년(천현 5년) 4월 기사는 상경(上京)에서 머물다가 인황왕 야율배가 돌아간 것을 두고 "인황왕이 귀국했다"고 적었다. 《遼史》 卷三本紀第三 太宗上 : (天顯五年) 夏四月乙未, 詔人皇王先赴祖陵謁太祖廟。丙辰, 會祖陵。人皇王歸國。

12) 行在所, 또는 行都라고도 한다.

그런데 《요사》 태종본기에는 실제로 인황왕(人皇王)의 행궁(行宮)이 등장한다. 태종본기는 938년에 요 태종이 죽은 인황왕을 생각하다가 척은을 시켜서 종실이하 사람들을 인황왕의 행궁에 보내서 제사를 지내게 하였고, 940년에 인황왕의 비(妃) 소씨(蕭氏)가 죽자 인황왕의 행궁을 소씨가 죽은 곳으로 옮긴 사실을 적고 있다. 태종본기에는 또한 '인황왕의 저택(第)'이 수차례 언급돼 있다.

年	月日(음력)		기사
928년	9월[13]	기축	인황왕(人皇王) 야율배(倍)의 저택(第)에 감
		경인	후당(唐)에 사신을 보냄
		신묘	다시 인황왕의 저택에 감
929년	8월[14]	신축	량형(涼陘)에서 돌아와서 태조묘에 배알함
		계묘	인황왕의 저택에 감
		기유	태조묘에 배알함
	9월[15]	경오	남경(南京)에 감
		무인	목엽산(木葉山)에 제사를 지냄
		기묘	재생례(再生禮)[16]를 행함
		계사	남경에 도착함
	10월[17]	임인	인황왕의 저택에 가서 군신(群臣)에게 잔치를 베풀어줌
	11월[18]	임신	대내척은에 명하여 태조행궁(太祖行宮)에 출사(出師)를 고함
	12월[19]	무오	남경에서 돌아옴
938년	2월[20]	병신	척은을 시켜 인황왕의 행궁(行宮)에 가서 제사를 지내게 함
940년	7월[21]	무인	인황왕비(人皇王妃) 소씨(蕭氏)가 죽음
		병술	인황왕의 행궁을 소씨가 죽은 곳으로 옮김

---

13) 《遼史》 卷三 本紀第三 太宗上 : (天顯三年九月)己丑, 幸人皇王倍第。庚寅, 遣人使唐。辛卯, 再幸人皇王第。

14) 《遼史》 卷三 本紀第三 太宗上 : (天顯四年) 八月辛丑, 至自涼陘, 謁太祖廟。癸卯, 幸人皇王第。己酉, 謁太祖廟。

15) 《遼史》 卷三 本紀第三 太宗上 : (天顯四年) 九月庚午, 如南京。戊寅, 祠木葉山。己卯, 行再生禮。癸巳, 至南京。

16) 《遼史》 卷一百一十六 國語解 太宗紀「再生禮」: 國俗, 每十二年一

인황왕의 저택은, 이미 동단국이 옮겨온 옛 동평군 자리의 남경에 인황왕의 궁성인 천복성이 있으니 궁성이 있는 곳에 달리 저택이 있었다고 보기 어렵고, 929년 8월 신축일에, 요 태종이 여름 날발(捺鉢)에서 돌아온 지 이틀 후인 계묘일에 인황왕의 저택에 간 사실로 볼 때에 거란 상경에 본래부터 있었던 저택으로 판단된다.

인황왕의 행궁은 태종본기에서만 두 차례 언급돼 있는데, 첫 언급된 938년 기사는 인황왕이 후당으로 달아난 지 8년 후, 인황왕이 그곳에서 죽은 지 2년 후이다. 그 두 번째이자 마지막 기사는 인황왕의 비가 병을 앓다가 죽자 그 죽은 장소로 인황왕의 행궁을 옮긴 사실을 적은 것이다. 따라서 여기서 언급된 행궁은 왕이나 황제가 순행할 때에 그 옮겨가며 머무는 임시 도성 및 행정기구를 뜻하는 것이 아니라, 비록 동단왕 야율배가 후당으로 달아난 뒤에 동단국의 거란(遼) 예속이 실무적 측면에서 더욱 가속화된 상태였지만, 어디까지나 예우 차원에서 그때까지 간소하게 유지된 아장(牙帳) 형태의 기구로 추정된다. 즉 이 기사에서의 '행궁(行宮)'은

次, 行始生之禮, 名曰再生。惟帝與太后、太子及夷離堇得行之。又名覆誕。

17) 《遼史》 卷三 本紀第三 太宗上 : (天顯四年) 冬十月壬寅, 幸人皇王第, 宴群臣。

18) 《遼史》 卷三 本紀第三 太宗上 : (天顯四年十一月)壬申, 命大內惕隱告出師於太祖行宮。

19) 《遼史》 卷三 本紀第三 太宗上 : (天顯四年)十二月戊申, 女直來貢。戊午, 至自南京。

20) 《遼史》 卷四 本紀第四 太宗下 : (會同元年二月)丙申, 上思人皇王, 遣惕隱率宗室以下祭其行宮。

21) 《遼史》 卷四 本紀第四 太宗下 : (會同三年)秋七月己巳, 獵猾底烈山。癸酉, 朝於皇太后。丙子, 從皇太后視人皇王妃疾。戊寅, 人皇王妃蕭氏薨。己卯, 以安重榮據鎮州叛晉, 詔征南將軍柳嚴邊備。丙戌, 從人皇王行宮於其妃薨所。

왕이나 황제가 거둥(擧動)할 때에 따라붙는 임시 수도 및 행정기구라는 일반적 의미와 거리가 있는 것으로서, 정치적·실무적·공간적(공간점유로서의) 의미가 아니라 예식적·관념적 의미를 띤 것으로 판단할 수 있다.

요 태종은 928년 12월에 동평군(東平郡)을 남경(南京)으로 승격[22]한 후에 남경을 수차례 방문하였다. 이 수년의 행적에 대한 면밀한 관찰을 통해서 동평군, 즉 남경(훗날의 동경)의 위치 및 동단국 통치방식을 이해할 수 있는, 사실의 맥락을 얻을 수 있다. 앞에 제시한 내용에서 일부 중복되는 기사를 포함하여, 태종이 남경을 방문한 행적을 《요사》 태종본기에서 발췌하여 정리하면 다음과 같다.

年	月日(음력)		기사
929년	9월[23]	경오	남경(南京)으로 출발
		무인	목엽산(木葉山)에 제사
		계사	남경 도착
	10월[24]	임인	인황왕의 저택에 감
		갑진	여러 영(諸營)에 가서 군적(軍籍)을 검열함
	11월[25]	임신	대내척은에게 명하여 태조행궁에 출사(出師)를 고하게 함
		갑신	삼차구(三叉口)에서 낚시를 구경함
	12월[26]	무오	남경에서 돌아옴
930년	2월[27]	을해	남경을 수리할 것을 지시함
	3월[28]	을유	편전(便殿)에서 인황왕의 관리(僚屬)들에게

22)《遼史》卷三本紀第三 太宗上 : 十二月癸卯, 祭天地。庚戌, 聞唐主復遣使來聘, 上問左右, 皆曰 :「唐數遣使來, 實畏威也。未可輕舉, 觀釁而動可也。」上然之。甲寅, 次杏堝, 唐使至, 遂班師。時人皇王在皇都, 詔遣耶律羽之遷東丹民以實東平。其民或亡入新羅、女直, 因詔困乏不能遷者, 許上國富民給贍而隸屬之。升東平郡為南京。

			잔치를 베풀어줌
		경인	남경을 출발함
	11월[29]	무인	인황왕이 후당(後唐)으로 달아남
931년	1월[30]	정묘	남경에 감
	3월[31]	정해	인황왕비 소씨(蕭氏)가 동단국 관리들을 데리고 와서 태종을 배알
	4월[32]	-	남경에 중대성(中臺省) 설치
	5월[33]	을해	남경에서 돌아옴
936년	윤월[34]	신사	인황왕이 후당에서 석경당 세력에게 살해됨
938년	2월[35]	병신	인황왕의 행궁에 종실들을 보내서 제사지내게 함
		무술	요하(遼河) 동쪽에 감[36]
	11월[37]	-	유주(幽州)를 승격시켜 남경으로 삼고, 남경은 동경으로 개칭
940년	1월[38]	경인	인황왕의 비가 내조(來朝)함
	6월[39]	을미	동경재상(東京宰相) 야율우지가 발해상(渤海相) 대소현(大素賢)의 불법(不法)을 고발하자 요좌부민(僚佐部民) 가운데에서 재덕(才德)이 있는 자를 선발하여 대소현의 자리를 대신하게 함

23) 《遼史》 卷三 本紀第三 太宗上 : (天顯四年)九月庚午, 如南京。戊寅, 祠木葉山。己卯, 行再生禮。癸巳, 至南京。

24) 《遼史》 卷三 本紀第三 太宗上 : (天顯四年)冬十月壬寅, 幸人皇王第, 宴群臣。甲辰, 幸諸營, 閱軍籍。

25) 《遼史》 卷三 本紀第三 太宗上 : (天顯四年十一月)壬申, 命大內惕隱告出師於太祖行宮。甲申, 觀漁三叉口。

26) 《遼史》 卷三 本紀第三 太宗上 : (天顯四年)十二月戊申, 女直來貢。戊午, 至自南京。

27) 《遼史》 卷三 本紀第三 太宗上 : (天顯五年)二月己亥, 詔修南京。

28) 《遼史》 卷三 本紀第三 太宗上 : (天顯五年三月)乙酉, 宴人皇王僚屬便殿。庚寅, 駕發南京。

29) 《遼史》 卷三 本紀第三 太宗上 : (天顯五年)十一月戊寅, 東丹奏人皇王浮海過唐。

30) 《遼史》 卷三 本紀第三 太宗上 : (天顯六年正月)丁卯, 如南京。

31) 《遼史》 卷三 本紀第三 太宗上 : (天顯六年三月)丁亥, 人皇王倍妃蕭氏率其國僚屬來見。

요 태종은 동단국이 동평군 지역으로 옮겨와서 거란에 예속되자 동평군을 남경으로 승격시켰고, 이후 남경을 수시로 방문하여 머물면서 남경의 제반사(諸般事)에 매우 신경을 썼다. 이것이 동단국왕 야율배에게는 상당한 압박감으로 작용한 듯하다. 요 태종은 야율배가 홀로 후당으로 달아난 후에는 동단국에 중대성(中臺省)을 다시 설치[40]하여 동단국의 체계와 기강을 다잡는 방식으로 그 예속을

---

32) 《遼史》 卷三 本紀第三 太宗上 : (天顯六年四月) 是月置中臺省於南京。

33) 《遼史》 卷三 本紀第三 太宗上 : (天顯六年五月)乙亥, 至自南京。

34) 《遼史》 卷三 本紀第三 太宗上 : (天顯十一年閏月)辛巳, 晉帝至河陽, 李從珂窮蹙, 召人皇王倍同死, 不從, 遣人殺之, 乃舉族自焚。詔收其士卒戰歿者瘞之汾水上, 以為京觀。晉命桑維翰為文, 紀上功德。

35) 《遼史》 卷四 本紀第四 太宗下 : (會同元年二月)戊戌, 幸遼河東。丙申, 上思人皇王, 遣惕隱率宗室以下祭其行宮。

36) 《요사》에는 무술일에 요하 동쪽에 간 사실(戊戌, 幸遼河東。)이 병신일에 인황왕의 행궁에 척은 이하 종실을 보내서 인황왕에게 제사 지내게 한 사실(丙申, 上思人皇王, 遣惕隱率宗室以下祭其行宮。)보다 앞에 기술돼 있다. 그러나 무술일은 병신일에서 2일 후에 해당한다. 즉 제사를 지내게 한 날에서 2일 후에 요하 동쪽에 간 것이다.

37) 《遼史》 卷四 本紀第四 太宗下 : (會同元年)十一月甲辰朔, 命南北宰相及夷離堇就館賜晉使馮道以下宴。丙午, 上御開皇殿, 召見晉使。壬子, 皇太后御開皇殿, 馮道、韋勛冊上尊號曰睿文神武法天啟運明德章信至道廣敬昭孝嗣聖皇帝。大赦, 改元會同。是月, 晉復遣趙瑩奉表來賀, 以幽、薊、瀛、莫、涿、檀、順、媯、儒、新、武、雲、應、朔、寰、蔚十六州並圖籍來獻。於是塘以皇都為上京, 府曰臨潢。升幽州為南京, 南京為東京。改新州為奉聖州, 武州為歸化州。升北、南二院及乙室夷離堇為王, 以主簿為令, 令為刺史, 刺史為節度使, 二部梯裡已為司徒, 達剌乾為副使, 麻都不為縣令, 縣達剌乾為馬步。置宣徽、閤門使, 控鶴、客省、御史大夫、中丞、侍御、判官、文班牙署、諸宮院世燭, 馬群、遙輦世燭, 南北府、國舅帳郎君為敞史, 諸部宰相、節度使帳為司空, 二室韋闥林為僕射, 鷹坊、監冶等局長為詳穩。

38) 《遼史》 卷四 本紀第四 太宗下 : (會同三年春正月)庚寅, 人皇王妃來朝。

39) 《遼史》 卷四 本紀第四 太宗下 : (會同三年) 六月乙未朔, 東京宰相耶律羽之言渤海相大素賢不法, 詔僚佐部民舉有才德者代之。

강화한다.

특히 주목되는 기사는 940년(회동 3년) 6월 을미일의 것이다. 야율우지(耶律羽之)는 본래 동단국 중대성의 우차상(右次相)이었고, 대소현(大素賢)은 품계가 이보다 높은 좌차상(左次相)이었다.[41] 그런데 태종본기의 이 기사에서 야율우지는 동경재상(東京宰相), 대소현은 발해상(渤海相)의 직위를 가진 것으로 나타나 있다. 품계의 서열이 뒤바뀐 모습이다. 《요사》 열전 야율우지전은 야율우지의 직위가 오른 배경에 대해서 "인황왕(야율배)이 후당으로 달아났으나 야율우지는 일절 변함없이 나랏사람들을 진무하였다. 수태부의 공이 더하여져서 중대성 좌상에 올랐다. 회동 초에는 책봉의 예(禮)로써 궁궐(조정)에 들어가니 특진이 더해졌다."[42]라고 적고 있다. 동단국 관리로서 최고 지위에 오른 것이다. 한편 대소현이 불법을 저지르자 야율우지가 이를 고발한 사건에 대해서 "좌차상 발해소가 욕심이 많고 하는 짓이 더러워서 불법의 일을 저지르고 있다는 글을 (야율우지가) 올렸다. (그 후에 대소현이) 죽었다."[43]라고 적었다.

구분	동단국 건국 당시 지위	회동(會同) 초 지위	
		태종본기	야율우지전

40) 본래 동단국에 존재했던 최상위 기구로서, 동단국이 거란 동평군에 옮겨오면서 폐지됐다가 이때에 다시 설치된 듯하다.

41) 《遼史》 卷二本紀第二 太祖下 : 丙午, 改渤海國為東丹, 忽汗城為天福。冊皇太子倍為人皇王以主之。以皇弟迭刺為左大相, 渤海老相為右大相, 渤海司徒大素賢為左次相, 耶律羽之為右次相。

42) 《遼史》 卷六十七 列傳第五 耶律羽之 : 人皇王奔唐, 羽之鎮撫國人, 一切如故。以功加守太傅, 遷中臺省左相。會同初, 以冊禮赴闕, 加特進。

43) 《遼史》 卷六十七 列傳第五 耶律羽之 : 表奏左次相渤海蓟*貪墨不法事, 卒。*蓟는 蘇의 오기(誤記)

야율우지	우차상	동경재상	중대성 좌상
대소현	좌차상	발해상	좌차상

물론 재상(宰相)은 우차상과 좌차상도 해당될 수 있는 호칭이다. 그러나 야율우지전의 기술에서 야율우지가 중대성 좌상에 오른 후에 다시 특진(特進)이 더해졌다고 후술하였으므로 태종본기에서의 '재상'은 동단국 관리로서의 최고위직을 뜻한다고 판단된다. 그런데 야율우지가 동경재상, 즉 중대성 최고위직이었던 반면에 대소현이 '발해상'이었던 사실, 그리고 대소현이 고발된 후에 요좌부민(僚佐部民)[44] 가운데에서 대소현을 대신할 사람을 선발하게 한 사실에서, 또한 거란인이 정(正)을 맡고, 원주민이 부(副)를 맡는 이른바 '인속이치(因俗而治)'의 통치체제, 달리 표현하면 이원통치체제(二元統治體制)가 거란의 통치방식이었던 사실에서 야율우지는 재상으로서 동단국 국정 전반을 담당하고, 대소현은 발해상으로서 동단국민의 대다수를 차지하는 부민(部民), 즉 발해민(渤海民)을 관리하는 역할을 맡았던 것으로 판단할 수 있다.

927~928년에 동평군에 천거됨으로써 거란에 예속된 동단국의 영역이 어떠했는지 정확히 알 수 없으나 당시는 중경도(中京道)가 편성되기 80여 년 전[45]인 까닭에, 또한 동단국이 동평군에 옮겨와서 예속된 후에 요 태종이 곧바로 동평군을 남경으로 승격시키면서 거란의 도읍 체제가 상경과 남경(훗날 동경)의 2경(二京) 체제[46]가 되었으므로, 훗날 중경도 관할이 되는 지역에서 그 동부

44) 요좌부민(僚佐部民)은 요좌(寮佐), 즉 보좌(補佐)하는 부민(部民)을 뜻한다. 부민은 그 표현으로 볼 때에 동단국에 예속돼 있던 발해민을 가리킨다고 판단된다.

45) 요 성종 통화 23년(1005)에 중경대정부 건립을 시작하여 25년에 완성하였으며, 도(道)의 구성은 그 후 개태 연간(1012~1021)까지 계속되었다. 즉 중경도 소속 상당수의 주(州)가 개태 연간에 설치됐다.

46) 이 체제는 938년까지 유지되었다. 한편, 요 태종은 후진(後晉)을 멸

상당 지역이 동단국의 관할[47]이었을 개연성이 크다. 그런데 《요사》뿐만 아니라 역대 여러 사서와 문헌에서 의무려산 일대와 요하 서쪽 지역에서 947년에 현주(顯州)가 설치되 전까지 공식적으로 행정구역이 존재했다 하는 기록이 전무(全無)하다. 소택지와 요하 서안(西岸)에 연접한 침수지역(浸水地域)을 제하고 보더라도 상당히 넓은, 현 북진시와 흑산현(黑山縣) 일대에 수십 년 동안 아무런 행정지가 존재하지 않았다 하는 것은 이해할 수 없는 일이다. 이는 실제 존재하지 않은 것이 아니라 기록이 남아있지 않은 것으로 봐야 할 것이다.

중경도가 신설되기 전까지 대체로 오늘날 요녕성 영역에 상당하는 지역이 동평군으로 옮겨간 후의, 동단국 관할지였을 것으로 추정되는 만큼, 또한 동단왕 야율배가 의무려산을 좋아하여서 산꼭대기에 집을 지어놓고 개인 도서관으로 사용한 사실과, 의무려산 서쪽, 대릉하 건너 편의 의주(宜州)가 동단왕의 사냥터였던 사실, 이러함에도 현 북진시와 흑산현 등 의무려산 연접지역에 947년 현주

하고서, 947년에 지금의 하북성 정정현(正定縣) 지역에 있었던 진주(鎮州)를 중경(中京)으로 삼은 바 -《遼史》卷四 本紀第四 太宗下 : (大同元年)二月丁巳朔, 建國號大遼大赦, 改元大同。升鎮州為中京。- 있다. 그러나 요나라가 후진의 개봉지역을 완전히 장악하는 데에 실패하고 돌아간 후에 유지원(劉知遠)이 후진의 영토를 차지하여 후한(後漢)을 세움으로써 중경은 무위가 되고, 다시 진주가 되었다.

47) 《요사》 지리지 중경도 의주(宜州) 조에는 "동단왕이 매년 가을마다 이곳에서 사냥했다(東丹王每秋畋於此)"한 기술이 있다. 의주는 현 요녕성 금주시(錦州市) 의현(義縣) 일대이다. 다만 여기서 '동단왕'이 야율배를 가리키는지 야율안단(耶律安端)을 가리키는 불확실하다. 야율안단은 요 세종 천록 원년(947)에 동단왕에 제수(除授)되었다. 《遼史》卷五本紀第五 世宗 : 大赦, 改大同元年為天祿元年。追謚皇考曰讓國皇帝。以安端主東丹國, 封明王, 察割為泰寧王, 劉哥為惕隱, 高勛為南院樞密使。 그런데 이 의주 조의 기록을 근거하여 본다면 의무려산 일대뿐만 아니라 최소한, 대릉하 서쪽 현 의현 일대 역시 동단국의 관할이었음을 추정할 수 있다.

(顯州)가 설치되기 전까지 수십 년 동안 아무런 공식적 행정지가 존재하지 않았다는 사실로 볼 때에 동단국의 치소인 천복성, 즉 938년에 동경으로 개칭된 남경이 이 영역에서 동쪽으로 크게 치우친, 그것도 소택지와 여러 하천에 의해서 분리된 곳에 위치한 현 요양시 백탑구에 있었다고 보는 것은 사리(事理)에 어긋난다. 따라서 이러한 사실을 근거하여 현 북진시, 또는 그 인근에 실제의 동경(옛 남경)이 존재했다고 가정해본다면 어떠할까?

이 가정은 의무려산 일대에 947년 이전까지 아무런 행정지가 존재하지 않은, 공간적 공백의 괴이함을 단번에 해소할 수 있으며, 동단국 관할지의 비교적 중앙에 위치하고, 소택지와 요하 등에 감싸여 있어서 통치와 방어에 용이하다. 여기서 나아가서 야율우지가 동경재상, 대소현이 발해상이었던 사실과 연결하여 그 통치체제를 풀어본다면, 야율우지는 현 북진시, 또는 그 인근의 남경(938년 이후의 동경)에서 동단국 행정을 총괄하고, 대소현은 요하의 동쪽에서 발해민들을 관리·통제하는 역할을 하였다 하는 추정이 개연성을 얻을 수 있다. 그런데 이러한 가정으로서의 의문은 《요사》 태종본기가 아니라 백관지(百官志)의 다음 기록으로써 바로 해소되었다.

요양대도독부(遼陽大都督府). 태종(太宗) 회동(會同) 2년(939)에 설치했다.

요양대도독(遼陽大都督). 회동 2년에 (부여된 직위로서) 도독(都督)은 갈로박(曷魯泊)[48] 등 요양동도(遼陽東都)를 관방(關防)하였

48) 曷은 廣韻과 洪武正韻에서 각각 胡葛과 何葛로 적혀서 그 음가가 [한]에 가까운데, 또한 갈라로(曷懶路)가 합라로(合懶路)로 적히거나 갈소관(曷蘇館)이 합사한(哈斯罕)으로 적힌 사례를 근거하면 갈로박(曷魯泊)은 《요사》의 한우락(軒芋濼)으로 고려된다. 〔《遼史》 卷三十八志第八 地理志二 東京道 東京遼陽府 : 浿水, 亦曰泥河, 又曰軒芋

다.[49]

요 태종이 939년에 요양대도독부를 설치하였는데 이 부(府)의 수장인 요양대도독의 역할은 요양동도(遼陽東都)를 관방(關防)하는 것이었다. 여기서 '요양동도(遼陽東都)'가 결정적 단서이다. 동도(東都)는 "동쪽의 도읍"을 뜻한다. 동도가 있다는 것은 서도(西都) 역시 있다는 뜻이다. 관방(關防)이라는 것은 국경을 지키는 일이다. 동도는 당연히 동단국 지역(훗날 동경도)에서 동부의 중심지에 해당하고, 그 방비의 대상은 시대를 고려할 때에 생여진 등 발해유민과 고려(高麗)가 해당할 것이다. 따라서 요양동도의 위치는

濼, 水多軒芋之草。〕 泊은 濼은 모두 호수(湖水)를 가리켜서, 그 뜻이 통한다. 《만주원류고는》는 권10 〔《欽定滿洲源流》 考卷十 : 按元一統志引契丹地理志云淍水即古泥河也自東逆流數百里至遼陽豬蓄不流有軒芋草生於泊中故名軒芋泊明一統志徙之又以朝鮮大通江為淍水考盛京通志泥河在海城縣西南六十五里蓋平縣北五十五里源出聖水山流至米真山西散漫為遼時之軒芋泊與朝鮮界內之淍江不同也〕 에서는 《원일통지》와 《성경통지》를 인용하고, 권15 〔《欽定滿洲源流》 考卷十五 軒芋泊 : 元一統志軒芋泊在定遼衛契丹地志云淍水即古泥河也自東逆流數百里至遼陽瀦畜不流有軒芋草生於泊中故名 明統志泥河一名淍水又曰軒芋濼水多軒芋之草(案泥河在海城西南六十五里源出聖水山流至米真山散漫為遼時軒芋濼非朝鮮界內之淍江也)〕 에서 《원일통지》와 《명일통지》를 인용하여 서술하면서 모두 軒芋濼을 軒芋泊으로 적고 있는데, 해성현(海城縣) 서남쪽 65 리, 개평현(蓋平縣) 북쪽 55 리에 니하(泥河)가 있는데, 이 니하가 흩어지는 곳이 軒芋泊이라고 설명하고 있다. 윤정기(尹廷琦, 1814~1879)가 1859년에 편찬한 《동환록(東寰錄)》의 〈압수외지(鴨水外地)〉 편에서는 《성경통지》를 인용 〔盛京志云 淤泥河 在海城縣西六十五里 源出聖水山 至迷眞山西散漫 卽遼之軒芋濼〕 하며 泥河(니하)를 淤泥河(어니하)로 적고 있는데, 지금도 그 명칭이 어니하(淤泥河)로 남아 있으니, 요녕성 대석교시(大石橋市)의 동북쪽에서 남쪽을 지나서 남서쪽의 금우산(金牛山) 부근에서 영구시(營口市)의 염전지(鹽田地)에 들어간다.

49) 《遼史》 卷四十八志第十七下 百官志四 南面京官 : 遼陽大都督府。太宗會同二年置。遼陽大都督。會同二年, 都督曷魯泊等關防遼陽東都。

현 요하 동쪽의 모처(某處), 특히 현 요양시 일대가 유력하다. 요양동도에 동쪽 국경을 관방하는 요양대도독부가 있었으므로 요양동도는 당시 동단국의 중심지, 즉 동경(東京)이 아니었다는 반증(反證)이다. 요 태종 당시, 동경은 현 요양시 백탑구가 아니라 다른 곳, 보다 구체적으로, 요하를 경계로 하여서 그 서쪽의 모처에 있었던 것이다.

939년 요양대독부의 설치는 《요사》 태종본기 938년(회동 원년) 2월 기사에 나타난 태종의 행적과 직결된다. 태종은 병신(丙申)일에 척은(惕隱)[50]을 보내서 종실(宗室) 사람들을 데리고 인황왕의 행궁에 가서 제사를 올리게 한다. 그리고 그 이틀 후인 무술(戊戌)일에 요하(遼河)의 동쪽으로 행차한다. 재위 동안 태종이 요하 동쪽에 간 것은 기록 상 이 기사가 유일하다. 종실 사람들을 인황왕의 행궁에 보내서 제사를 올리게 한 직후에 요하 동쪽에 간 사실에서 요하 동쪽에 있는 동단국민, 즉 예속돼 있는 발해민을 단속하고자 한 것으로 추정할 수 있는데, 이때의 요하 동쪽 행차가 이듬해 회동 2년(939)의 요양대독부 설치로 연결된 것이다.

요양동도(遼陽東都)가 요하 동쪽에 있었으니 요양서도(遼陽西都)는 요하 서쪽에 존재했을 것[51]이다. 가장 적합한 위치는 어디겠는가?

양한(兩漢) 시대의 요동군(遼東郡)이 현 요하의 좌우 지역을 관할하였던 만큼 10~11세기 발해·거란사에서의 '요동(遼東)', '요양(遼陽)' 등은 옛 요동군 관할지에 해당하는, 현 요하의 좌우 지역

50) 거란의 관직명
51) 요양동도(遼陽東都)와 요양서도(遼陽西都)는 발해 멸망 전에 요하를 좌우하여 병존(竝存)했던 '거란의 遼東과 발해의 遼東' 양상과 동질하다.

을 포괄하는 호칭이었던 것으로 추정할 수 있다. 그런데 거란은 926년 전까지 요하의 동쪽에 진출하지 못 하였으므로 발해 멸망 전까지 요하를 사이에 두고서 그 동서에 발해의 요동과 거란의 요동, 발해의 요양과 거란의 요양이 병존하였다.

따라서 요 태조가 909년에 행차한 요동(遼東)은 요하의 서쪽 지역을 가리키는 지명인데, 915년에 낚시를 한 압록강(鴨淥江)은 요하를 가리키거나 제3의 하천을 가리킨 것으로 판단된다. 918년에 행차한 요양고성(遼陽故城)은 당시 거란의 요동에 해당하는 요하 서쪽의 모처(某處)로서, 919년에 이 요양고성을 수리하여 설립한 동평군(東平郡) 역시 처음에는 거란의 요동, 즉 요하 서쪽 지역만을 관할하였을 것이다. 그 후, 926년에 발해를 무너트리고서 동평군의 관할 영역은 요하 동쪽(遼左)까지 확장되어서 그 범주는 양한 시대 요동군 관할지에 준하였을 것이다.

928년에 동단국민이 동평군 지역에 대거 옮겨졌을 때에 발해민은 주로 '양수의 땅(梁水之地)'에 해당하는, 현 요양시를 중심한 요하 동쪽 지역에 분산배치 되었으며, 요양시 백탑구에는 발해민들을 관리하는 기구와 조직을 별도로 두고서 '동도(東都)'라 하고, 현 북진시(北鎮市) 지역의 모처에 있는 서도(西都)에서 통할하는 이원통치(二元統治)를 하였던 것이다.

맺는 글 : 요 동경은 이치(移置) 되었다

이상 총 7편의 논고에서 요 동경이 본래 현 북진시에 있었음을 논증하였다.

1편 「거란의 요동과 발해의 요동」에서는 거란이 924년까지 현 요하의 동쪽에 진출하지 못 한 사실을 문헌 및 금석문 사료 고찰을 통해서 밝혔다. 거란과 발해가 병립한 그 마지막 시기인 10세기 초에 요하를 가운데에 두고서 그 좌우에 각각 거란과 발해 소유의 요동이 병존하였다. 909년에 요 태조가 행차한 요동은 요하 서쪽의 요동으로서 거란 소유였으며, 924년에 거란이 공격한 발해의 요동은 요하 동쪽의 요동으로서 발해 소유였다. 따라서 918년에 요 태조가 행차한 요양고성은 요하 서쪽의 요동에 있었으며, 그 요양고성을 수리하여서 설립한 동평군 역시 926년에 발해가 멸망하기 전까지 요하 서쪽 지역만을 관할하였다. 이 시기에 동평군의 치소는 요하 서쪽에 자리한 요양고성을 근거하였으므로 928년에 동평군에 동단국민이 천거될 때에 함께 이치된 동단국 천복성 역시 그 요양고성 자리에 들어섰다.

2편 「요양으로 본 동경의 위치」에서는 동경요양부 직속현의 연혁이 모두 요양과 무관한 사실을 지적하면서 《요사》 전체에서 요양이 그 연혁으로서 언급된 2 곳인 두하군주 횡주와 솔빈현을 분석하였다.

횡주 편에서는 11세기 초중반 시기에 故遼陽縣地와 今遼陽縣地가 별도의 지역으로서 병존하였음을 밝혀서 今遼陽縣地는 당시 동경이 소재한, 요하 동쪽의 동경요양부 요양현이며 故遼陽縣地는 횡주가 소재한, 요하 서쪽 지역을 가리킴을 논증하였다.

솔빈현 편에서는 대공정((大公鼎)전의 '요양 솔빈현' 표현에 주목하여 솔빈현이 현주의 속주인 강주(康州)의 유일(唯一)현이었던 사실에서 그 '요양'이라는 명칭이 대상하는 지역 범주가 현주의 관할지, 즉 요하 서쪽 지역에 해당함을 논증하였다.

3편 「요 경종·성종의 행적으로 본 동경의 위치」에서는 《요사》 경종본기의 970년 4월 기사와 성종본기의 980년 4월 기사를 분석하여서 당시 동경이 현주, 또는 현주에서 다소 북쪽에 자리하고 있었음을 논증하였다.

4편 「요택 기사로 본 동경의 위치」에서는 《요사》 성종본기의 985년 7월부터 986년 1월까지의 기사를 분석하여서 고려·여진 정벌군의 집결지이자 출발지인 당시 동경이 소택지, 즉 요택의 서쪽에 자리하고 있었음을 밝혔다. 이로써 당시 동경이 현 북진시 지역에 자리하고 있었음을 논증하였다.

5편 「《무경총요》 북번지리로 본 동경의 위치」에서는 《무경총요》 북번지리가 기술한 동경 및 동경도 지역의 지리정보를 분석하여서 동경의 위치에 접근하였다. 북번지리에 나타나 있는 동경의 위치는 총 2 곳으로서, 요하 동쪽의 현 요양시 백탑구와 요하 서쪽의 북진시 지역이다.

《무경총요》 북번지리의 동경 및 동경사면제주의 기술은 1020년경의 것을 가장 최신 정보로 하면서 10세기 이래 시기와 경로를 달리하여 여러 차례 습득된 동경도 지리 정보를 엄밀한 재고 과정 없이 취합하고 있다. 분석 결과, 요 동경이 본래 북진시 지역에 자리하고 있다가 1020년 이전, 그 가까운 시기에 요양시 백탑구 지역으로 옮겨진 사실이 판단되었다.

6편 「1010년, 고려 침공 기사로 본 동경의 위치」에서는 《속자치통감장편》, 《문헌통고》, 《요사습유보》, 《황송십조강요》 등 4 건의 문헌을 교차 분석하여서 당시 거란의 고려 침공 집결 및 복귀 장소가 현 북진시에 소재했던 현주였으며, 현주는 또한 요양으로 호칭되었음을 밝혔다. 이로써 당시 동경이 현 북진시에 있었음을 논증하였다.

7편 「《요사》 태종본기를 중심하여 본 동경의 위치」에서는 《요사》에서 태종 재위 시기의, 훗날 동경으로 개칭된 남경 관련 기사를 교차 분석하여서 당시 동경의 위치에 접근하였다.

먼저 동단왕 야율배가 그 재위 기간 내내 의무려산 일대에 머물면서 다만 내몽골 파림좌기의 상경을 오가며 지낸 사실에서 동단국 천복성이 소재한 당시 남경이 북진시에 자리하고 있었다는 판단에 도달하였다.

또한 태종본기에 기술된 929년에서 940년 사이 태종의 행적과 백관지의 요양대도독부(遼陽大都督府) 설치 기사를 분석함으로써 당시 거란이 북진시 지역에 서도(西都), 요양시 지역에 동도(東都)를 두고서 동도에서는 발해민을 관리·통제하고 서도에서는 동단국의 제반사를 총괄하는 이원통치(二元統治)를 한 사실을 밝혔다.

요 동경은 현 북진시 지역에서 요양시 백탑구 지역으로 옮겨졌다. 그 옮겨진 때는 거란이 개주(開州)와 보주(保州) 등을 설치하여 천산산맥(千山山脈) 동쪽 지역을 비로소 처음 영토화한 요 성종 개태(開泰) 3년(1014) 직후로 추정된다. 이러한 사실을 포함하여 동경의 변천사는 다음 책 『요 동경도 연구』에서 동경도의 모든 행정지역을 고찰하면서 별도로 깊이 다루었다.

참고 자료

□ 문헌

《高麗史》
《高麗史節要》
《薊山紀程》

《翰苑》
《通典》
《五代會要》
《太平寰宇記》
《舊五代史》
《新五代史》
《舊唐書》
《武經總要》
《新唐書》
《資治通鑑》
《宣和乙巳奉使金國行程錄》
《青宮譯語》
《松漠紀聞》
《三朝北盟會編》
《續資治通鑒長編》
《契丹國志》
《文獻通考》
《皇宋十朝綱要》
《遼史》
《金史》
《宋史》
《析津志》
《元史》
《明一統志》
《遼東志》
《全遼志》
《讀史方輿紀要》
《滿洲源流考》
《遼史拾遺》
《遼史拾遺補》

□ 도서·논문

『中国历史地图集』 谭其骧 主编, 1996, 中国地图出版社
『辽代石刻文编』 向南 著, 1995, 河北教育出版社
『辽代书法与墓志』 罗春政 著, 2002, 辽宁画报出版社 刊
『东丹史』 都兴智 著, 2019, 中国社会科学出版社
『阜新史话』 张海鹰 編, 2014, 社会科学文献出版社
『高句麗·渤海古城址研究匯編』 (上) 王禹浪·王宏北 著, 1994, 哈爾濱出版社

「발해사 연구, 금석문과 만나다」 권은주, 2016
「발해(渤海)-거란(契丹) 전쟁의 발생배경과 전개과정」 강성봉, 2021

□ 인터넷 사이트

동북아역사넷
한국사데이터베이스
한국고전종합DB
中國哲學書電子化計劃
『한국민족문화대백과사전』
『세계한민족문화대전』
『百度百科』
『維基百科(중문위키백과)』